CARU CREFFTIO

MERCHED Y WAWR

golygwyd gan

Iris Williams
ac Angharad Fflur Jones

Diolch arbennig i Ruth Davies, Cangen Bro Radur, y De-ddwyrain
a Bethanne Williams, Cangen Llanrug, Arfon,
am eu cymorth a'u gwaith gyda'r patrymau.
Diolch hefyd i Menna Lewis a staff y Swyddfa a'r mudiad
am eu gwaith yn cael yr eitemau ynghyd.

Diolch i Arwyn Roberts am y lluniau
o wisg yr Archdderwydd ar dudalen 26.

Dylunio a chynllun clawr: Eleri Owen

Rhif Llyfr Safonol Rhyngwladol:
978-1-84527-840-3

Cyhoeddwyd gan Wasg Carreg Gwalch,
12 Iard yr Orsaf, Llanrwst, Dyffryn Conwy, Cymru LL26 0EH.
Ffôn: 01492 642031
e-bost: llyfrau@carreg-gwalch.cymru
lle ar y we: www.carreg-gwalch.cymru

Argraffwyd a chyhoeddwyd yng Nghymru

Cynnwys

Ble? Sut? Pam?

Os ewch chi i grwydro ardaloedd Cymru i chwilio am grefftwyr Merched y Wawr fe ddewch o hyd iddynt mewn amryw o lefydd gwahanol. Mae rhai yn hoffi gweithio ar fwrdd y gegin, ambell un yn yr atig ac eraill yn y stafell wely sbâr. Mae nifer o grefftwyr wedi creu ystafelloedd crefft arbennig yn eu cartrefi, sy'n hwyluso'r gwaith ac yn golygu nad oes angen iddynt glirio a rhoi pethau heibio rhwng sesiynau crefftio. Mae rhai yn gweithio ac ymlacio mewn stiwdios arbennig neu dŷ bach twt yn yr ardd. Mae gan Rhian Williams o gangen Bryncroes stiwdio yn yr ardd, ac yn y Tŷ Cwtsh yn yr ardd y bydd Christine Charlton, Cangen Felinfach, yn mwynhau crefftio. Thema gyffredin yw crefftio fin nos i ymlacio ac yn aml bydd y crefftwyr yn gwau neu grosio wrth wylio'r teledu. Da ydym am amldasgio!

Rhagair

Dros y blynyddoedd mae aelodau Merched y Wawr wedi creu campweithiau creadigol ac arddangosfeydd arbennig, wedi cystadlu'n frwd ac wedi cynorthwyo rhai llai breintiedig a mwy anghenus trwy grefftau o bob math. Yn flynyddol, rydym wedi llwyddo i greu arddangosfeydd cofiadwy yn yr Eisteddfodau a'r Sioeau, ac mae'r crefftau amrywiol sy'n rhan ohonynt wedi denu sylw'r cyfryngau cenedlaethol ac edmygedd nifer fawr o ymwelwyr.

Yn y Ffair Aeaf a'r Sioe yn Llanelwedd, mae cystadlaethau crefft y mudiad yn denu llu o gystadleuwyr, ac mae'r arddangosfeydd o'r ymgeisiadau wastad yn eang eu hapêl. Pinacl y cystadlu celfyddydol a'r arddangosfeydd yw cystadleuaeth Radi Thomas - cystadleuaeth ar gyfer cyfanweithiau y mae'r rhanbarth sy'n noddi'r Sioe yn dewis y thema ar ei chyfer bob blwyddyn, a phob rhanbarth yng Nghymru yn cymryd rhan. Rydym hefyd wedi cynnal arddangosfeydd o waith celf yr aelodau yn Llyfrgell Genedlaethol Cymru, Y Swyddfa Gymreig yn Llundain, Adeilad y Pierhead yng Nghaerdydd, Oriel Môn ac amryw o leoliadau difyr eraill, gyda sawl arddangosfa grefft wedi cael cartref parhaol mewn ysgolion ac adeiladau cyhoeddus. Rydym yn cydweithio'n agos gyda Sefydliad y Merched yn y Sioe a'r Ffair Aeaf, ac mae nifer fawr o'n haelodau yn perthyn i Gymdeithas Brodwaith Cymru.

Mae nifer o aelodau Merched y Wawr wedi ennill gwobrau cenedlaethol gan gynnwys gwobr ffotograffiaeth NAFAS a Gwniadwraig y Flwyddyn ac maent hwy, ynghyd â nifer o grefftwyr medrus a thalentog eraill, yn cyfrannu i'r gyfrol hon. Un gofod eithriadol o bwysig i grefftwyr Cymru ydyw ein cylchgrawn, *Y Wawr,* sydd wedi rhoi cyhoeddusrwydd i weithiau celf ac artistiaid ers 53 o flynyddoedd. Mae'r adborth a gawn gan ein darllenwyr, ein haelodau a'n crefftwyr i'r eitemau crefftio yn bositif tu hwnt.

Mae'r ddwy flynedd ddiwethaf, a'r newidiadau ddaeth i'n bywydau bob dydd o ganlyniad i bandemig byd-eang Covid-19, wedi gwneud i sawl un ohonom chwilio am ffyrdd amgen o ddiddanu'n hunain. Mae sawl un wedi cael cyfleoedd i orffen prosiectau sydd wedi bod ar y gweill ers blynyddoedd lawer, eraill wedi chwilota am bob botwm a phellen o wlân yng nghefn y droriau i ddechrau ar rywbeth newydd, a nifer helaeth wedi dysgu sgiliau gwahanol. Sefydlodd Merched y Wawr y dudalen gweplyfr **Curo'r Corona'n Crefftio** ar 30 Mawrth 2020, ac mae'r ymateb iddi wedi bod yn wych, gyda chymaint o amrywiaeth ac ysbrydoliaeth wedi cael ei rannu. Mae i'r dudalen yn agos i 3,000 o aelodau; cafwyd bron i gan mil o argraffiadau mewn blwyddyn, a dros 11 mil o sylwadau. Bu i Jên Dafis, oedd yn cynnal clonc a choffi ar Zoom yn wythnosol, ymateb i ofynion rhai o'r mynychwyr a dechrau clwb gwau, eto gydag ymateb gwych.

Cawsom gais gan Lywodraeth Cymru i fod yn rhan o brosiect Gartref Gyda'n Gilydd, a dyna fu'r ysgogiad ar gyfer **Blodau Gobaith** - fe welwch fwy am y prosiect hwn yn nes ymlaen.

Mae crefftio a charedigrwydd yn mynd law yn llaw, ac wrth i ni ofyn i'r rhai sydd â diddordeb mewn crefftio a oedden nhw'n cynorthwyo eraill, roedd yr ymateb yn syfrdanol. Cawsom restr ddiddiwedd o elusennau sy'n cael eu cefnogi gan y crefftwyr, a diolch i bob un ohonynt am eu gwaith. A rhown ddiolch arbennig i bawb sydd wedi cynorthwyo eraill gyda charedigrwydd yn ystod y cyfnod heriol hwn: drwy wnïo mygydau a sgrybs, creu cardiau i'w hanfon a rhannu patrymau ac arfer da gydag eraill. Un elfen o'n gwaith fel mudiad yw cynnal cyrsiau crefft, ac fe lwyddwyd i gynnal y rhain yn rhithiol - braf iawn oedd cael cwmni niferus yn gyson ar foreau Sadwrn dros fisoedd y gaeaf.

Bwriad y gyfrol hon yw cyflwyno rhai o'r crefftau amrywiol sy'n cael eu hymarfer yng Nghymru heddiw, o grefftau traddodiadol megis gwau a chreu doliau ŷd i grefftau papur, ailgylchu ac uwchgylchu, sy'n boblogaidd iawn ymysg pobl ifanc ar hyn o bryd. Rydym am ddathlu'r ystod eang o dalent greadigol sydd yma yng Nghymru ac annog pobl i roi cynnig ar grefftio o'r newydd, boed hynny mewn ystafell grefft bwrpasol, ar fwrdd y gegin neu mewn sied yn yr ardd!

Mae rhan olaf y gyfrol yn cynnig ysbrydoliaeth, cyfarwyddiadau a dolenni i batrymau crefft mwy swmpus, rhai ohonynt yn batrymau gafodd eu creu i Ferched y Wawr ddegawdau yn ôl, megis Woltyr yr Hwyaden, ac eraill yn rhai newydd gan gynnwys croesbwyth gan Joyce Jones ar gyfer logo'r mudiad. Mae sawl un wedi holi am gopïau o'r patrymau hyn ac mae'r gyfrol hon yn lle delfrydol i'w rhoi ar gof a chadw ar gyfer cenhedlaeth newydd o grefftwyr. Diolch i'n haelodau, yn cynnwys Ruth Davies a Bethanne Williams, am eu cadw'n ddiogel i ni.

Diolchaf i bawb o fewn mudiad Merched y Wawr am arwain ar gynifer o brosiectau ac arddangosfeydd dros y blynyddoedd, a diolch arbennig i Angharad am ei gwaith yn casglu deunydd ar gyfer y llyfr hwn, ynghyd â'r staff eraill a fu'n hwyluso'r gwaith. Mae diolch arbennig yn mynd i aelod gweithgar yng nghangen Pumsaint sef Iris Williams, sydd wedi golygu'r gyfrol hon, gydag arweiniad Nia o Wasg Carreg Gwalch. Diolch hefyd i Eleri am ddylunio'r cyfan. Gobeithio y bydd y cynnwys yn ysbrydoli ac yn arwain at fwy o grefftio i'r dyfodol.

Diolch i bawb wnaeth anfon eitemau difyr atom - daeth deunydd i greu sawl cyfrol - ymddiheurwn am fethu â chynnwys ond rhan fechan o'r cyfan. Diolch i bawb sydd wedi cyfrannu, ac i bawb sydd wedi cael pleser wrth greu a rhannu eu gwaith drwy weithgareddau Merched y Wawr ac ar blatfformau megis **Curo'r Corona'n Crefftio**. Daliwch ati i roi cymaint o bleser i eraill.

Cofion,

Tegwen

Tegwen Morris
Cyfarwyddwraig Cenedlaethol Merched y Wawr
Medi 2021

Gwau a Chrosio

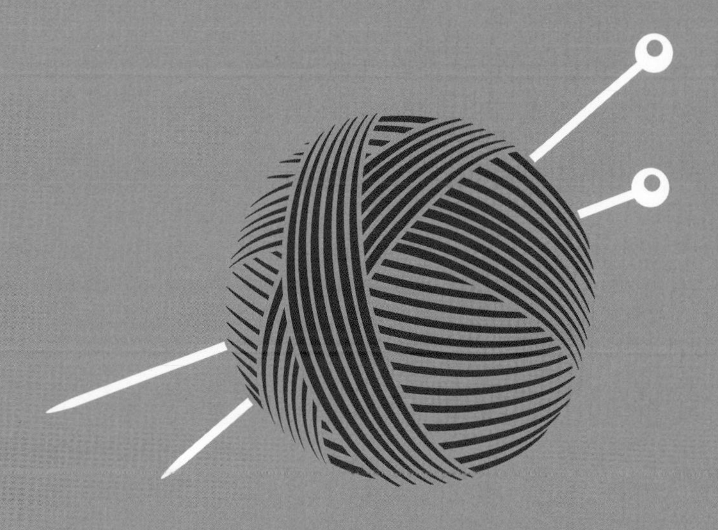

GWAU

Gwau yw'r broses o ddefnyddio dwy (neu fwy weithiau, i ddilyn patrymau mwy cymhleth) o weill i ddolennu'r gwlân i wau rhesi. Mae angen castio'r pwythau i gael dechrau gwau, yna dilyn patrwm sy'n ailadrodd un pwyth neu gyfuniad o wahanol bwythau. Yr esiampl gynharaf o wau yw sanau o'r Aifft, sy'n dyddio o'r unfed ganrif ar ddeg – sanau ffein, lliwgar iawn!

Yn nes at adref, mae darlun gan William Dyce (1860) yn yr Amgueddfa Genedlaethol yn dangos dwy wraig mewn gwisgoedd Cymreig yn gwau sanau ym mynyddoedd Eryri. Roedd gwau yn yr awyr agored yn boblogaidd iawn yn y 18fed a'r 19eg ganrif, ac yn grefft symudol, gan nad oedd angen cario llawer o offer – dim ond dwy wäell a gwlân. Yn aml gwelid gwragedd (yn bennaf) yn gwau wrth wylio'r anifeiliaid neu wrth gerdded i'r farchnad.

Mae'n bwrw glaw allan
Mae'n hindda yn y tŷ
Mae merched Tregaron
Yn nyddu gwlân du

Dyma hen bennill sy'n cofnodi hanes merched a'u cysylltiad â gwlana a gwau. Roedd yn arferiad yng Nghymru i ferched yn y wlad fynd allan i chwilio am wlân yn y perthi ac ar y mynyddoedd – byddai'r gwlân hwnnw wedyn yn cael ei olchi a'i nyddu i sicrhau cyflenwad i wau dillad i'r teulu dros y gaeaf. Byddai merched o bob oedran, a rhai dynion, yn treulio nosweithiau'r gaeaf yn gwau sanau i'r teulu ac er mwyn eu gwerthu i ennill incwm ychwanegol. Dysgai plant i wau yn ifanc iawn, a châi'r grefft ei throsglwyddo o genhedlaeth i genhedlaeth.

Roedd elfen gymdeithasol i wau, a byddai pobl yn cwrdd i wau ac i adrodd straeon, yn ferched a dynion. Mae grwpiau gwau yn boblogaidd iawn heddiw fel ffordd i bobl gael rhannu syniadau a chymdeithasu. Dros y cyfnod clo bu'n rhaid i sawl clwb addasu a chynnal sesiynau rhithiol (sesiynau Clwb Gwau Merched y Wawr yn eu mysg) er mwyn cyfuno crefftio â cysylltiad cymdeithasol, oedd mor bwysig ar y pryd.

Erbyn heddiw mae gwau yn fwy o hobi na chrefft i'w gwneud o reidrwydd er mwyn dilladu'r teulu neu ennill arian, er ei fod yn fusnes i sawl un.

Adeg y Rhyfel Byd Cyntaf bu dynion, merched a phlant yn gwau sanau, hetiau, sgarffiau a siwmperi i'r fyddin, a chyhoeddwyd patrymau penodol mewn cylchgronau a chan y Groes Goch. Nid oedd llawer o wlân ar gael ar y pryd, ac roedd llyfryn y Llywodraeth, *Make Do and Mend*, yn annog menywod i ddatod hen ddillad gwlân er mwyn ei ailddefnyddio.

Mae gan wahanol ardaloedd o Brydain eu harddulliau unigryw o wau, a phatrymau arbennig. Un o'r rhai mwyaf poblogaidd yw'r patrwm Fair Isle. Ynys bellenig yw Fair Isle (Yr Ynys Deg) i'r gogledd o arfordir yr Alban, ac yn ôl hanes lleol, Sbaenwyr a laniodd ar yr ynys adeg Armada Sbaen a ddysgodd y grefft i'r ynyswyr. Yn ugeiniau'r bedwaredd ganrif ar bymtheg gwnaeth Tywysog Cymru y patrwm Fair Isle yn boblogaidd drwy wisgo dillad yn y patrwm hwnnw i chwarae golff.

Daw'r siwmper Aran o Ynysoedd Aran ym mae Galway, ac yn hanesyddol roedden nhw'n cael eu gwisgo gan bysgotwyr. Roedd y Llywodraeth yn cymell teuluoedd tlawd i wau dillad i'w gwerthu, ac yn hyfforddi gweuwyr yn ugeiniau'r ugeinfed ganrif. Rhannwyd patrymau gwau Aran mewn cylchgrawn yn 1940, ac ar ôl i gylchgrawn *Vogue* gyhoeddi patrwm yn 1956 daeth yn boblogaidd a ffasiynol yn America. Mae siwmper Aran yn cynnwys dros gan mil o bwythau unigryw, a'r patrwm yn gymhleth.

Mae siwmperi Gansey yn deillio o'r Alban – Orkney a Shetland – a Guernsey Frocks o Ynys y Garn. Siwmperi a oedd yn cael eu gwau yn dynn oedd y rhain, gyda gyddfau uchel a llewys tyn i amddiffyn pysgotwyr a morwyr rhag y gwynt a'r glaw. Caent eu gwau ar 5 neu 6 gwäell fel tiwb di-dor er mwyn sicrhau eu bod yn dynn am y corff.

Heddiw, mae ffibrau naturiol megis alpaca, angora a merino yn addas i wau, yn ogystal â chotwm, ac mae dewis o ddeunyddiau drutach fel sidan a bambŵ ar gael hefyd. Yr un yw'r offer angenrheidiol y dyddiau hyn, sef dwy wäell a gwlân, er bod angen gweill arbennig i ddilyn rhai patrymau. Mae fframiau pwrpasol ar gael ar gyfer rhai ffyrdd o wau, ac mae peiriannau gwau ar gael sy'n hwyluso'r gwaith. Ceir digon o ysbrydoliaeth a phatrymau ar wefannau megis Pinterest a YouTube.

Golffiwr Gwlân
Anwen Hughes

Cangen Carmel, Rhanbarth Aberconwy

Siôl Les Shetland
Helen Harrison

Cangen Llanfarian, Rhanbarth Ceredigion

Er taw Cymraes oedd fy mam, Sais oedd fy nhad, a dwi wedi dysgu Cymraeg achos ni siaradodd neb â fi yn Gymraeg pan o'n i'n blentyn. Albanwr yw fy ngŵr, ac ro'n ni'n arfer ymweld ag Ynysoedd Shetland yn aml (ro'n i'n arfer gwneud llawer o bysgota). Ymhen hir a hwyr, prynon ni fwthyn yno, ar ynys Unst. Ynys Unst yw ynys fwyaf gogleddol y Deyrnas Unedig – mae hi'r un mor bell o Norwy, Faroe a'r Alban, ac yn agosach at ddinas Bergen yn Norwy na Chaeredin yn yr Alban. Dyma sut y bu i mi ddarganfod addurnwe les Shetland. Nid gwaith les ydyn nhw, mewn gwirionedd, ond siolau wedi'u gwau. Siolau bedydd oedden nhw'n wreiddiol, ac yn draddodiadol maen nhw'n bethau arbennig iawn. Gweais fy siôl gyntaf ar gyfer fy ŵyr, Josh, yn 1998, ac fe'i defnyddiwyd pan gafodd Josh ei fedyddio yn Eglwys Gadeiriol Caergaint y flwyddyn honno. Dwi'n eu gwneud i'w rhoi yn anrhegion, a dwi bob amser yn ceisio cadw o leiaf un siôl wrth gefn gan nad ydi pobl yn rhoi cymaint o rybudd heddiw ag yr oedden nhw ers talwm fod babi ar y ffordd! Peth ofnadwy ydi trio brysio i orffen siôl cyn i fabi gyrraedd!

Daw'r les meinaf, mwyaf cain, o ardaloedd anghysbell y gogledd, megis ynys Unst, Ynysoedd Faroe, gogledd Rwsia a Gwlad yr Iâ. Mae edafedd main iawn yn hanfodol ar gyfer gwau les, fel y gall y nyddwr dynnu'r edafedd nes ei fod o drwch blewyn unigol, felly mae angen i'r defaid lleol fod â gwlân o ansawdd uchel iawn. Ar ynys Unst, dim ond y gwlân meinaf wedi ei dynnu â llaw o wddf y ddafad a ddefnyddir i wau siolau les, ac roedd y menywod yn arfer nyddu'r gwlân â llaw ar droell. Heddiw, dim ond un felin wlân sydd ar ôl yn Shetland lle nyddir gwlân i greu'r edafedd meinaf, sef Melin Jamieson yn Sandness, a gwlân o'r enw Gwlân Ceinwe Corryn Shetland yw hwn. Gwnaethpwyd y siolau tecaf gyda'r gwlân yma, a'u henwi yn 'siolau modrwy briodas' gan eu bod mor fain fel ei bod yn bosib eu tynnu nhw trwy ganol modrwy briodas! Rydw i wedi llwyddo i wneud hyn gyda'r siolau rydw i wedi'u gwau. Mae siôl sy'n mesur chwe throedfedd sgwâr yn pwyso rhyw ddwy owns / 57 gram – ond byddai'r gwlân ynddi yn ymestyn am dair milltir a hanner.

Yn 1832 ysgrifennodd yr awdures Jessie Saxby, a oedd yn byw yn Baltasound ar ynys Unst, am les Shetland. Dyma'r cyfeiriad cyntaf i mi ei ddarganfod at y grefft unigryw hon. Disgrifiodd Jessie rai o'r straeon am hanes gwau ar Unst – roedd sanau'r ynys yn cael eu gwerthu yng Nghaeredin yn 1790 ac roedden nhw'n ofnadwy o ddrud. Felly, gallwn dybio bod i gynnyrch gwau Unst enw da am fod yn foethus ac yn ddrud am o leiaf dau gan mlynedd a hanner.

Cafodd patrymau traddodiadol ynys Unst eu trosglwyddo ar lafar, ac mae iddynt enwau disgrifiadol iawn: Rhedyn, Pedol, Coeden Bywyd, Pawen y Gath, Ceinwe Pry Copyn, Les Corryn. Cofnodwyd y patrymau cyntaf ar bapur gan Elizabeth Henry ar ddiwedd y bedwaredd ganrif ar bymtheg.

Daeth les ynys Unst yn enwog yn y bedwaredd ganrif ar bymtheg – gan fod y Frenhines Victoria a'i theulu yn gwisgo esiamplau o les ynys Unst, daethant yn adnabyddus ac yn boblogaidd. Mae siôl sydd wedi'i chreu â llaw yn ddrud i'w phrynu (efallai y treulir dau gant o oriau gan wëydd proffesiynol i greu siôl â llaw), ond mae sgarffiau les a siwmperi dipyn yn rhatach.

Sut ydych chi'n gwau siôl draddodiadol les Unst? Yn gyntaf, mae'n rhaid i chi wau ymyl bylchog yn addurniadol ac yn hir iawn, iawn. Cofiwch chi fod y siôl yn mesur hyd at chwe throedfedd sgwâr! Wedyn, mae'n rhaid i chi impio'r ddau ben gyda'i gilydd, cyn codi tua wyth gant o bwythau gyda nodwydd ar gylch (neu nodwydd ddeuben, *double-ended needles*, os yw'n well ganddoch chi). Wedyn, mae'r patrwm yn cael ei greu wrth fynd tuag at ganol y siôl, gan leihau yn gyson yn y pedwar cornel. Nid yw gwau traddodiadol Shetland yn cael ei wnïo o gwbl. Yn olaf, mae'r siôl yn cael ei golchi a'i sychu ar ffrâm bren: yn Shetland, gelwir hyn yn *dressing the shawl*.

Ble gallwch chi weld enghreifftiau o siolau a les Shetland? Os ydych chi'n ymweld â Shetland, mae llawer o wybodaeth ac enghreifftiau yng Nghanolfan Dreftadaeth Unst (yn Haroldswick), ac yn Amgueddfa Shetland (yn Lerwick). Mae llawer o wybodaeth a lluniau ar-lein hefyd. Mae eitemau o les Shetland wedi'u gwau (e.e. dillad, siolau, gwlân, patrymau ayyb), ar werth yn siopau Shetland ac ar-lein. Gallwch brynu pecynnau DIY ar-lein hyd yn oed – chwiliwch amdanynt, a hwyl ar y gwau!

Trwmped
Susan Cain

Cangen y Drenewydd, Rhanbarth Maldwyn

Bûm yn gwau trwmped pan oeddwn yn gwella ar ôl llawdriniaeth dros y gaeaf, fel rhan o'm therapi galwedigaethol.

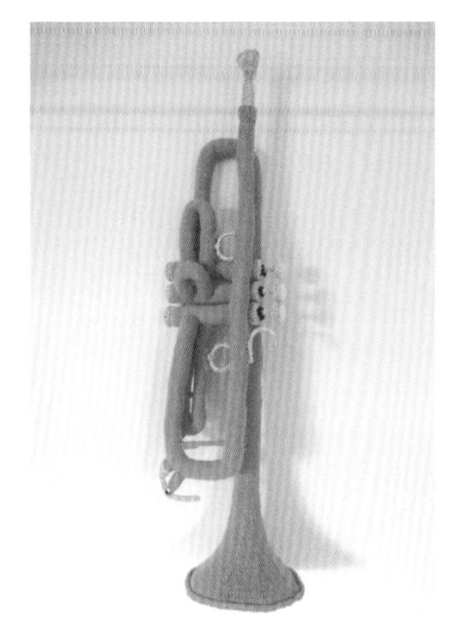

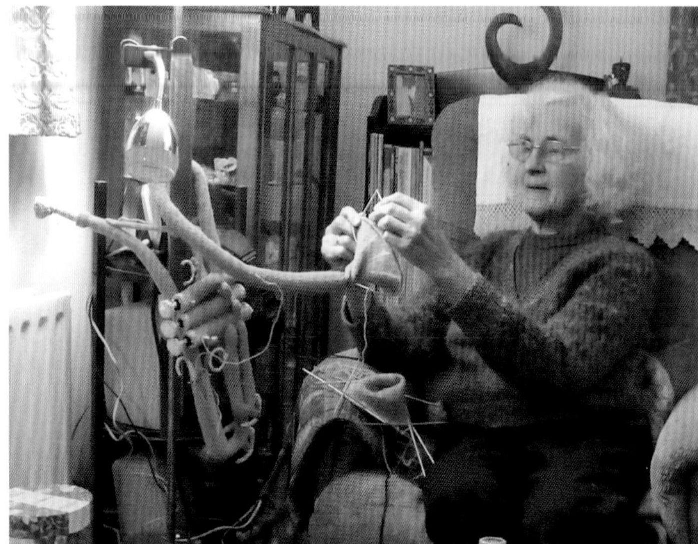

Cotiau gwau
Lynne Green

Caernarfon

Siwmper
Anwen Hughes

Cangen Carmel, Rhanbarth Aberconwy

Dwi newydd orffen y siwmper hon, sydd wedi ei gwau gan ddefnyddio dafadd dwbl o'r enw Crofter. Doeddwn i ddim wedi ei ddefnyddio o'r blaen, ac mae wedi troi allan yn effeithiol iawn. Cafodd ei rhoi yn anrheg yn fuan wedi iddi gael ei gorffen.

"Dwi wedi bod yn crosio sgwariau ar gyfer cwiltiau a chodi arian at elusennau cancr, gwau capanau ar gyfer sefydliad y DPD, a gwau dillad i blant tramor."

Beryl George, Cangen Capel Newydd

"Rwy'n gwneud bobls ar gyfer elusen cancr a gwau cywion bach ar gyfer gorchuddio wyau bach i elusennau."

Margaret Thomas, Cangen Bro Cennech

"Dwi wrthi'n gwau ers yr ysgol gynradd, ar ôl cael fy nysgu gan Mam. Dwi'n gwnïo ers fy nyddiau yn yr ysgol uwchradd – bu i athrawes ysbrydoledig yn ysgol Bryn Hyfryd, Rhuthun, danio fy niddordeb yn y grefft. Cefais hwyl yn gwneud fy nilledyn cyntaf, a magu hyder yn fy ngallu, ac ymlaen â fi!"

Haf Wyn Roberts, Cangen Llansannan

"Dwi wedi ailgydio mewn gwau ers y cyfnod clo cyntaf, ac wedi gwau pethau i fy wyrion a babis ffrindiau."

Sue Hughes, Cangen Peniel

Sanau a Het
Eifiona Davies

Cangen Penmachno, Rhanbarth Aberconwy

Tua pymtheng mlynedd yn ôl derbyniais hen droell - doeddwn i erioed wedi meddwl creu dafadd allan o gnu dafad o'r blaen. Es ati i ddysgu trwy wylio fideos ar YouTube, darllen llyfrau ac ymweld â ffatri wlan Trefriw. Dwi wrth fy modd yn creu gyda gwlân: yn lliwio, ffeltio, crosio, a'r ffefryn, sef gwau Fair Isle. Mae gwlân wedi bod yn rhan bwysig o fy mywyd, ac rwy'n ymlacio'n llwyr wrth wau neu droelli. Dwi'n cofio dysgu gwau ar lin Mam - mae'n rhaid 'mod i'n reit ifanc! Nain ddysgodd imi sut i grosio. Dwi wedi bod yn crefftio ers hynny, o weld Mam yn gwneud gwaith llaw i wylio rhaglen *Blue Peter* a gwneud modelau bocsys, glud a phapur newydd, a'u peintio. Dwi'n cael pleser o weld eitem yn datblygu o flaen fy llygaid.

Cap amryliw

Enw'r patrwm: Peerie Flooers gan Kate Davies Designs, sef tafodiaith Shetland am 'blodau bach'. *(mae'r patrwm a'r pecyn i'w wau ar gael ar wefan y cynllunydd sef www.shopkdd.com.)*

Dwi wedi gwau y cap gyda gwlân Shetland gan Gwmni Jamieson & Smith, sef 2-ply Jumper Weight, sydd yn wlân Shetland pur. Mae'r patrwm angen 7 pellen 25g o wlân, pob un o wahanol liw. Defnyddir gweill cylch maint 3mm gyda chebl hyd 80-100cm i wneud y rib a'r prif ddarn, yna newid i 4 gwäell bigfain ddwbl *(double pointed)* 3mm i wau y corun pan fydd nifer y pwythau wedi gostwng.

Defnyddir techneg Fair Isle a elwir hefyd yn waith lliw, sef gweithio dau (neu fwy) o liwiau edafedd yn yr un rhes. Mae'r cap hwn wedi cael ei weithio o'r gwaelod i fyny gan ddechrau gyda'r rib rhychiog, ac mae corff a chorun y cap yn cael eu gwau yn dilyn siart lliw. Dyma'r ail gap i mi ei wau yn y patrwm yma - gweais un i'm ffrind ar achlysur ei phen blwydd ddechrau'r flwyddyn adeg y cyfnod clo, ac mae canmoliaeth mawr iddo – mae'r lliwiau hyfryd yn gwneud i bobl wenu a theimlo'n hapus yng nghanol gaeaf oer!

Sanau coch a hufen

Enillais y wobr gyntaf am 'Eitem o Wlân' yng nghystadleuaeth Cwpan Radi Thomas yn 2018 gyda'r sanau coch a hufen hyn. Enw'r patrwm yw First Footing gan Kate Davies Designs, ac mae'n defnyddio gwlân Jamieson & Smith Shetland Heritage. Defnyddiais 2 x 25g lliw Madder, 2 x 25g Fluggy White (gwlân Shetland pur), a gweill pigfain (*double pointed*) maint 2.75mm

Dechreuais wau yn y rib gan ddefnyddio techneg gwaith lliw, a gwau mewn cylch gan ddefnyddio 4 gwäell. Roedd angen gwneud yn siŵr nad oedd yr edafedd yn rhy llac nag yn rhy dynn ar y cefn, a bod y tensiwn yn iawn, neu fyddai'r hosan ddim yn ffitio!

Dyma'r tro cyntaf imi wau sanau gyda thechneg gwaith lliw gan ddilyn siart. Roedd yn rhaid golchi'r sanau mewn dŵr llugoer (*tepid*) gyda hylif golchi gwlân, a'u blocio allan i siâp y droed.

Sanau llwyd, mwstard a denim

Gyda'r pâr hwn o sanau enillais wobr gyntaf y gystadleuaeth 'Pâr o Sanau' yn Ffair Aeaf 2018. Enw'r patrwm yw Twylla gan Rachel Coopey Coopknits, a daw allan o'r llyfr *Socks Yeah*. Defnyddiais wlân Coop Knits Socks Yeah (75% superwash merino, 25% neilon): 1 pellen o liw Dandurite (105), 1 x Lolite (109) ac 1 x Sphene (104), ar weill pigfain (*double pointed*) maint 2.5mm.

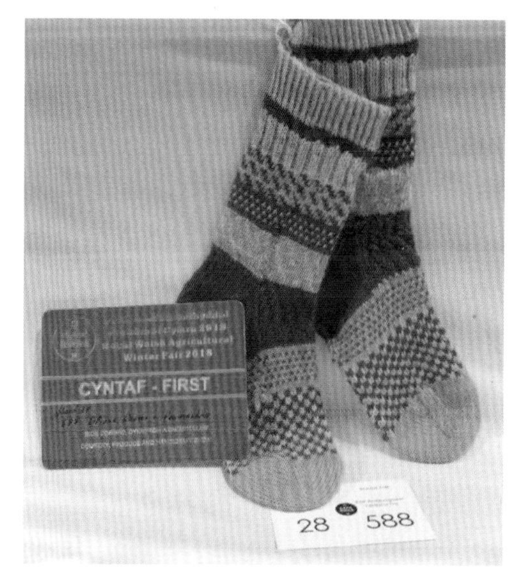

Mi wnes i ddechrau gwau yn y rib – mae'r cyfarwyddiadau yn y patrwm hwn wedi eu hysgrifennu'n dda ac yn dangos y technegau o wau sanau cam wrth gam: sut i droi sawdl a gwnïo pwyth Kitchener ar flaen y droed, a llawer mwy.

Fel gallwch weld, rydw i wrth fy modd yn gwau sanau ac yn cymryd diddordeb mawr mewn rhoi cynnig ar batrwm sydd ychydig yn fwy heriol! Mae sanau wedi eu gwau wedi dod yn ffasiynol y dyddiau hyn, a gallaf ddweud â llaw ar fy nghalon fod fy nhraed wastad yn gynnes, waeth pa mor oer a rhynllyd fydd hi y tu allan!

Sanau
Sara Elin Roberts

Llanddaniel, Môn

Mi ydw i'n dod o deulu sydd yn gwneud gwahanol waith llaw – mae fy mam yn gwnïo, gwau, crosio ayyb, a fy chwaer yr un fath. Roeddwn i'n gwau pan oeddwn i'n blentyn, ond mi wnes i roi'r gorau iddi am rai blynyddoedd, a dechrau gwneud clytwaith, brodio ac ati. Pan oedd fy mab hynaf yn chwe mis oed, a finnau yn Llundain ar fy mhen fy hun efo fo, mi ddechreuais i wau eto ar ôl i ffrind agos roi llyfr gwau i mi: *Baby Knits for Beginners* gan Debbie Bliss. I ddechrau doeddwn i ddim yn medru gwneud *cast on*, dim ond gwau, ac mi ddysgodd ffrind arall i mi sut i wneud pwyth purl, dros neges destun! Tua'r un pryd, ymunais â gwefan Ravelry – gwefan am ddim i rai sy'n gwau a chrosio – a phan oedd fy ail fab yn 6 mis oed mi ddysgais sut i grosio! Dillad babi oeddwn i'n wau i ddechrau, ond dwi wedi gwau pob mathau o bethau dros y blynyddoedd. Mae dafadd sanau yn apelio yn fawr – y lliwiau gwych, gwahanol safon ac yn y blaen – ac mae pellen o ddafadd sanau yn beth defnyddiol i'w brynu, felly roedd gen i dipyn o hwn yn y tŷ.

Roeddwn i wedi gwau ambell bâr o sanau, ond yn aml yn gwau siôl gyda'r dafadd hardd, a sanau efo peth mwy masnachol. Pan ddaeth y Clo Mawr, mi wnes i sylweddoli fod modd gwau sanau efo dafadd sanau(!), gan gynnwys y stwff drud, a dyna ddigwyddodd. Ar wahân i'r 7 pâr i mi eu gwau yn ystod y Clo Mawr, mi wnes i wau 14 pâr o sanau yn 2020, a hyd yn hyn dwi wedi gwau 7 pâr (ac un hosan) eleni. Sanau dwi'n wau fwyaf rŵan, a dwi'n eu gwau ar weill crwn bychain ers ryw flwyddyn neu ddwy, ond cyn hynny mi oeddwn i'n defnyddio techneg Magic Loop, ac mi ydw i'n medru gwau dwy ar y tro. Dwi ddim yn ffafrio gwau o'r top i lawr nac o'r bodyn i fyny – mae hwnnw'n bwnc llosg yn y byd gwau sanau! Dwi wrth fy modd yn rhoi cynnig ar wahanol batrymau a thechnegau sanau, a dwi'n profi patrymau i ffrind sydd yn dylunio sanau. Dwi'n hoffi gwau sanau patrymog, les, cêbls, a hyd yn oed rhywfaint o Fair Isle. Mae 'na hyd yn oed batrwm sanau wedi ei enwi ar fy ôl, ar gael i'w brynu ar-lein: Sara Elin Socks.

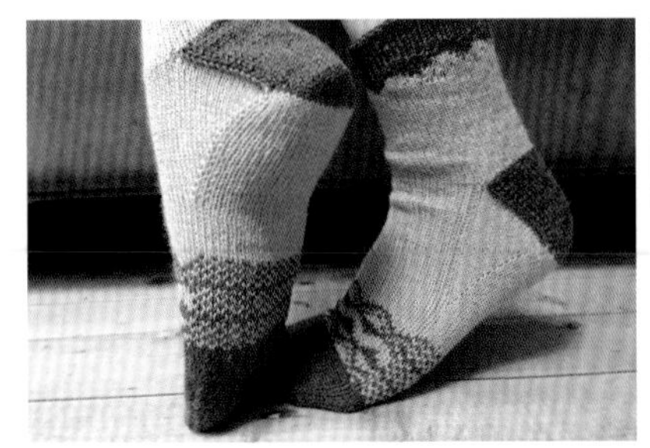
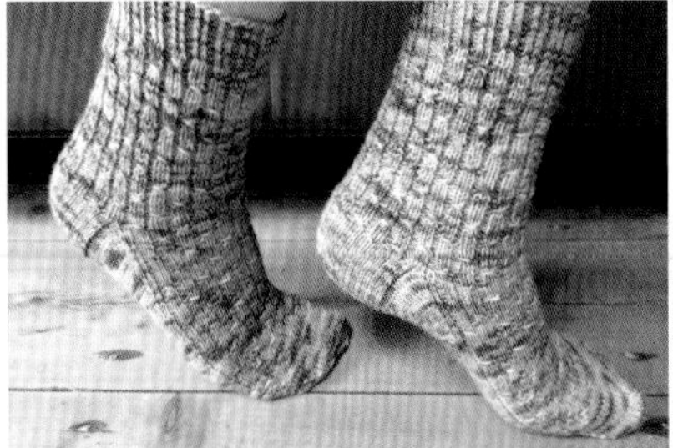

Sanau
Christine McSorley

Ontario, Canada

Roedd Nain Rosslyn o Dwyran, Sir Fôn, yn gwau sanau pan oeddwn yn blentyn. Gwau i fy nhaid, a oedd yn ddyn llefrith yn yr ardal, oedd hi. Roedd yn edrych yn anodd iawn, ond roedd y cyfnod clo yn amser perffaith i roi tro ar sgil newydd, sef gwau sanau!

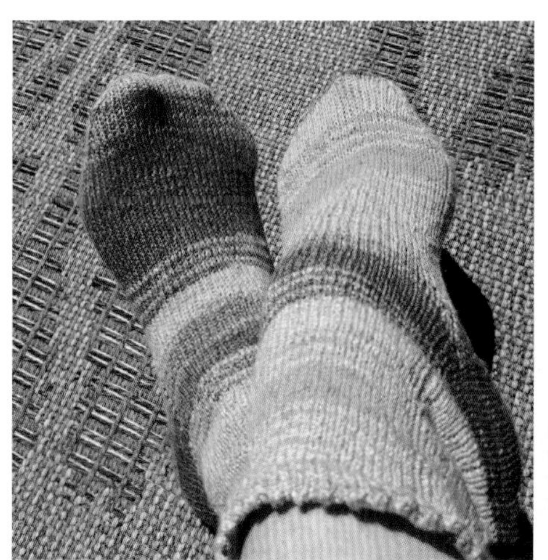

Sanau
Angharad Harris

Y Felinheli

'Nôl i weu sanau! Ar gyfer y sanau hyn defnyddiais wlân West Yorkshire Spinners: un bellen felen (*Butterscotch*) i greu'r top a phellen amryliw o'r enw Nico/Teiliwr Llundain (*Goldfinch*) i greu'r patrwm. Mae o'n wlân clyfar iawn a dwi wedi gwirioni hefo fo!

CROSIO

Does neb yn siŵr iawn o ble ddaeth y grefft o grosio, ond yn ôl rhai haneswyr mae'n debyg ei fod wedi datblygu o hen frodwaith Tsieineaidd a ledodd drwy Dwrci, India, Persia a gogledd Affrica cyn cyrraedd Ewrop yn y bedwaredd ganrif ar bymtheg.

Dywedir bod lleianod yn Ffrainc yn y dyddiau cynnar yn crosio pethau cymhleth megis llieiniau bwrdd i eglwysi gydag edau fain iawn. Daw'r gair 'crochet' o'r gair Ffrangeg am fachyn bach, a hwnnw o'r Germaneg 'croc', sydd hefyd yn golygu bachyn.

Damcaniaeth arall yw mai pobl yn byw yng ngogledd yr Alban a rhannau o Sgandinafia a oedd yn ffermio mewn ardaloedd oer, anghysbell, a ddyfeisiodd y grefft yn ystod y ddeunawfed ganrif, neu cyn hynny. Byddai angen dillad cynnes arnynt i'w cadw'n glyd yn y tywydd oer a gwlyb. Roedd digon o wlân ar gael yno, a byddent yn creu'r dillad drwy ddefnyddio bachau bach wedi eu gwneud o bren, asgwrn neu hyd yn oed llwyau neu gribau wedi'u torri.

Ymddangosodd y patrwm crosio cyntaf yn 1823 mewn cylchgrawn yn yr Iseldiroedd o'r enw *Penélopé* - patrwm ar gyfer gwneud pwrs oedd o. Yn ystod y Chwyldro Diwydiannol tua 1850/60 daeth crosio yn hobi i ferched y dosbarth canol ac uwch. Roedd ganddyn nhw fwy o amser rhydd, ac roedd bachau yn rhad gyda dyfodiad masgynhyrchu.

Ar ddechrau'r ugeinfed ganrif roedd pobl yn crosio dillad ffasiynol, hyd yn oed ffrogiau priodas, ac yn ystod y ddau ryfel byd anogwyd merched i grosio dillad i'r milwyr. Yn y 60au a'r 70au daeth crosio dillad yn ffasiynol unwaith eto, a daeth yr hipis yn hoff iawn o'r *granny squares* lliwgar.

Erbyn heddiw mae crosio eto wedi dod yn boblogaidd iawn, gyda llawer o bobl yn dysgu'r grefft yn ystod pandemig y Coronafeirws pan oedd yn rhaid aros gartref. Hyd yn oed gyda'r siopau ar gau, roedd yn bosib prynu edafedd a dilyn patrymau ar-lein. Mae crosio yn weithgaredd sy'n dod â llawer o bleser i bobl, ac mae boddhad mawr i'w gael wrth orffen creu rhywbeth i'w wisgo neu i'r cartref.

Vivien Lee, Cangen Casnewydd, Rhanbarth y De-ddwyrain

Blanced
Ann Thomas

Cangen Llwyndyrys, Rhanbarth Dwyfor

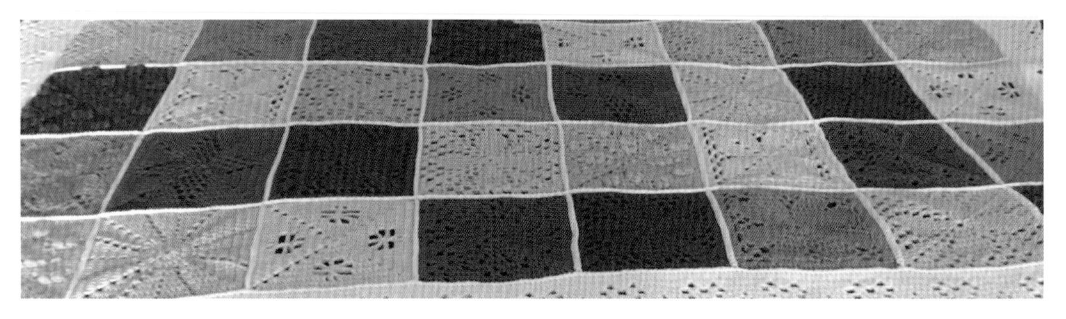

Clustog Crosio Mosaic
Glenda Jones

Clwb Gwawr Angylion Aber, Rhanbarth Ceredigion

Fe wnes i ailgydio yn y grefft o grosio yn ystod y cyfnod clo cyntaf, ar ôl nifer fawr o flynyddoedd. Cefais fy nysgu pan oeddwn yn blentyn gan Mam-gu Tynddol (Mary Owen), oedd yn feistres ar ei chrefft.

Digwyddais weld patrymau trawiadol ar y we gan y dylunydd Tinna o Wlad yr Iâ. Mae ei chynlluniau hi yn wych, ond roedd crosio mosaic yn newydd i mi. Felly, penderfynais wneud clustog i ddechrau, cyn mentro gwneud un o'i phlancedi. Dyna fydd y prosiect nesa!

Tua 6 wythnos gymerais i orffen y clustog – nid wyf yn crosio yn gyflym iawn. Ond ar ôl diwrnod yn y gwaith o flaen y cyfrifiadur, rwy'n cistedd yn fy nghadair esmwyth, a bant â fi. Dwi'n llwyr ymlacio wrth grosio – heblaw pan dwi'n gwneud camgymeriad!!

Mae'r canlyniad yn effeithiol iawn, dwi'n meddwl. Mae rhywbeth yn y patrwm yn fy atgoffa o frethyn Cymreig a chwlwm Celtaidd.

Mandalas a blanced
Vivien Lee

Cangen Casnewydd a'r Cylch, Rhanbarth y De-ddwyrain

Byddaf yn chwilio drwy set o gylchgronau o'r enw *The Art of Crochet* am syniadau am beth i'w grosio. Rwyf wedi gwneud sawl blanced drwy ddefnyddio llyfr yn llawn patrymau sgwariau gwahanol, ac rwyf hefyd wedi gwneud nifer o fandalas.

Yn ystod y cyfnod clo rwyf wedi creu ystafell grefftio lle rwy'n cadw fy ngwlân a fy holl offer crefftio, ac ar y wal a'r silffoedd mae nifer o'r pethau rwyf wedi eu creu.

Het a thegan
Haf Vaughan Parry

Tremeirchion, Dyffryn Clwyd

Ychydig flynyddoedd yn ôl mi ges i wlân dafad Jacob gan ffrindiau i'w nyddu. Wedi i mi orffen ei nyddu, mi es i ati i greu het a thegan dafad Jacob allan ohono a'i ddychwelyd i fabi bach y cwpwl a roddodd y gwlân i mi.

Blanced
Dilys Jones

Penisa'r-waun, Caernarfon

Mae'r bachyn crosio allan eto - blanced arall yn barod ar gyfer nosweithiau oer!

Blanced Dyweddïo
Branwen Davies

Borth-y-gest, Porthmadog

Dyma dwi wedi bod yn ei wneud! Anrheg dyweddïo i gwpl arbennig – Elin a Mark. Mae Elin yn ferch i un o'm ffrindiau gorau sy'n ymgartrefu yn Nhalwrn, Môn, ar ôl priodi ddiwedd Awst. Elin ddewisodd y lliwiau i gyd-fynd â'i hystafell, a fi wnaeth y patrwm gan ddefnyddio nifer o wahanol bwythau.

Crosio clustog
Mai Jones

Cangen Llan Ffestiniog, Rhanbarth Meirionnydd

Roeddwn yn gwau a chrosio llawer pan oeddwn yn iau – cefais fy nysgu gan Mam a fy modryb pan oeddwn yn ifanc iawn, ond rhoddais y gorau iddi am flynyddoedd oherwydd prysurdeb bywyd. Yn ystod y cyfnod clo teimlais fod gen i fwy o amser ar fy nwylo – dechreuais glirio mymryn a dod ar draws edafedd o bob math a phenderfynu gwneud defnydd ohono. Deuthum ar draws patrwm gwau sgwariau diddorol, a dechreuais arbrofi efo lliwiau. Dwi wastad yn mwynhau'r broses o wau, ond dwi ddim yn or-hoff o wnïo pethau at ei gilydd! Roeddwn i wrth fy modd yn gwneud y glustog yma gan fy mod yn codi pwythau o un sgwâr i'r llall wrth fynd ymlaen ac felly'n arbed y rhan fwyaf o'r gwnïo ar y diwedd.

Crosio ffrogiau
Gwenan Williams

Cricieth

Dwi wedi bod yn gwau ers blynyddoedd maith (mi wnes i wau ffrog fedydd i bob un o'm pedwar plentyn, ac mae'r hynaf yn awr yn ei 40au!) ond yn ystod cyfnod clo 2020 teimlais fy mod eisiau sialens newydd.

Arbrofais gydag amryw o grefftau cyn dod ar draws llyfr crosio gefais yn anrheg gan fy mab hynaf rai blynyddoedd yn ôl. Felly, ym mis Gorffennaf 2020, gyda chymorth y llyfr a gwefan YouTube, dechreuais ddysgu crosio a ffeindio fy mod wrth fy modd yn ei wneud – ac mae'n tyfu'n llawer cynt na gwau!

Mae gen i wyres fach 8 oed, Gwenno Non, sydd wrth ei bodd hefo'r lliwiau pinc a phiws, tylwyth teg, dawnsio ac ati, felly pan welais y patrwm Abigail Fairy Dress roedd yn rhaid mynd ati i wneud un iddi a'i chwaer fach, Meena Haf, er bod y patrwm yn anoddach na dim roeddwn wedi ei fentro cynt. Mae'n siwr bod camgymeriadau ynddynt fel y rhan fwyaf o ddarnau sy'n cael eu gwneud â llaw – dyna sy'n eu gwneud yn unigryw!

Teganau a Blanced
Alaw Gwenllian Williams

Cangen Llaniestyn, Rhanbarth Dwyfor

Mae deng mlynedd bellach ers i mi ddechrau crosio. Dysgodd mam fy ffrind i mi sut i wneud y *double crochet*, a fu dim stop arna i ers hynny! Dwi wrth fy modd yn gwneud blancedi mawr lliwgar, ond fy hoff beth i'w wneud ar y funud ydi'r *amigurumi*, sef y tedis a'r teganau.

Fel mam i dri o hogiau a gwarchodwr plant llawn amser, mae bywyd yn brysur ofnadwy, ac mae crosio yn rhoi cyfle i mi ymlacio a throi fy ffocws i gyd at rywbeth ar wahân i fwrlwm bywyd bob dydd.

Bu fy mab ieuengaf yn wael iawn hefo Sepsis pan oedd yn 5 wythnos oed, ac ers hynny mae o dan law Adran Gardioleg Ysbyty Alder Hey. Rydw i wedi defnyddio fy ngwaith crosio i godi arian i elusennau gwhanol sydd wedi, ac yn parhau i, helpu ein mab bach a ninnau fel teulu ar ein siwrnai. Yn sicr mae crosio yn fy ngalluogi i ymdopi.

Anrheg i fy mam oedd hon ar Sul y Mamau un flwyddyn.
Sunburst Granny Square ydi patrwm y blanced,
hefo pwyth cragen (*shell stitch*) yn forder iddi.

Crefftau Defnydd

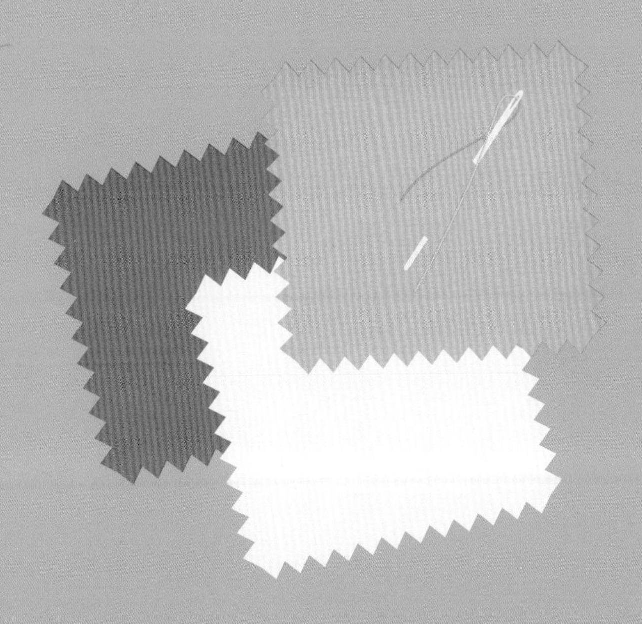

CREFFTAU DEFNYDD

Cefais fy ngeni a'm magu yn unig blentyn ar fferm yn Nhrefor, rhwng Pwllheli a Chaernarfon. Roedd gan Mam ddiddordeb mawr mewn gwnïo, a dan ei dylanwad hi y dois i'n gyfarwydd â pheiriant gwnïo. Mae o yn fy ngwaed i byth.

Yn un ar bymtheg oed mi es i Lerpwl i wneud prentisiaeth mewn Dressmaking & Tailoring, fel yr oedd yn cael ei alw, cyn dychwelyd i Ben Llŷn i ddysgu gwneud llenni a sut i orchuddio cadeiriau. Priodais hogyn lleol yno a symud i Birmingham, lle bu i mi fynychu coleg er mwyn cael cymwysterau ar bapur. Yn ôl â ni i Drefor wedyn, a phenderfynais sefydlu busnes yn gwneud dillad i gwsmeriaid.

Dyma pryd y daeth yr awydd i gystadlu, ac un o gystadlaethau Merched y Wawr oedd y gyntaf imi ymgeisio ynddi, sef creu ffedog o wlân Cymreig gan ddilyn cynllun yn *Y Wawr*. Wel, mi ges i lwyddiant, a dechreuais gystadlu mwy wedyn, gan ddod yn aelod o dîm MYW Dwyfor er mwyn cystadlu yn y Sioe Fawr. Enillais Gampwaith Crefft yn y Sioe Fawr bedair gwaith!

Rwy'n hoff iawn o weithio â lledr a swêd, a thrwy weithio gyda'r cyfrwng hwn y gwnes i ennill cystadleuaeth Gwniadwraig y Flwyddyn drwy Brydain yn 1990 yn yr NEC yn Birmingham. Cefais flas ar ddysgu sgiliau gwnïo i oedolion, yn wythnosol ac ar gyrsiau penwythnos.

Yn 2008 cefais y fraint o gydweithio i greu Gwisg yr Archdderwydd, gan 'mod i'n aelod o Gymdeithas Brodwaith Cymru – roedd y brodwaith yn eu dwylo nhw. Roedd gen i ddiddordeb mewn cwiltio ond ro'n i'n methu darganfod amser i wneud hynny, ond pan ddechreuais feddwl am ymddeol mynychais ddosbarth cwiltio bob wythnos a mwynhau hynny'n fawr. Dyma sydd wedi rhoi pleser i mi yn ystod y cyfnod clo, ac yn ystod y flwyddyn ddiwethaf rydw i wedi cwblhau cwilt ar gyfer gwely dwbl.

Mi ddyweda i fel hyn – rydw i wedi byw i wnïo, ac mae gwnïo wedi 'nghadw i'n fyw. Llunio, llafurio a (gobeithio), llwyddo.

Megan Williams, Cangen Llanddarog, Rhanbarth Caerfyrddin

Clytwaith a brodwaith Eirlys Savage

Cangen Llanelwy, Rhanbarth Colwyn

Ers i mi ymddeol dwi wedi cystadlu yng nghystadlaethau Merched y Wawr, ac wedi cael llwyddiant ambell dro. Ychydig flynyddoedd yn ôl y testun oedd 'Arfordir' ac mi es ati i lunio clytwaith modern o lan y môr. Defnyddiais ddefnydd sgleiniog ar gyfer y môr, ond wrth ei smwddio llosgais dwll ynddo! Torrais y darn yn dri, a sylweddoli ei bod yn ddamwain lwcus – dwi wrth fy modd efo'r gwaith ac fe gafodd ail yn Sioe Llanelwedd.

Rwy'n aelod o grŵp Cwiltwyr Dyffryn Clwyd ac wedi dysgu llawer mewn gweithdai a gan gyd-aelodau. Rwy'n aelod o Gymdeithas Brodwaith Cymru ac wedi elwa o brosiectau a chwmnïaeth y cyfarfodydd. Roeddwn yn rhan o'r tîm a fu'n gweithio efo Cefyn Burgess ar furlun sydd yn awr yn Sain Ffagan. Cefais wobr gyntaf yn y Ffair Aeaf am lantern Nadoligaidd, Clytwaith Nadoligaidd ac Aur, Thus a Myrr. Dwi wedi bod yn diwtor ar gwrs Crefft y Gogledd ambell dro, a braf yw gweld aelodau yn mynd adref â darn o waith gorffenedig, ar ôl dysgu sgìl newydd.

"Ro'n i mor ffodus i gael mynychu dosbarthiadau nos Mrs Megan Williams i ddysgu gwinio dillad, yn bennaf. Wedyn dilynais ychydig o gyrsiau Merched y Wawr yng Nghanolfan Glasdir Llanrwst, a chwrs undydd gyda Cefyn Burgess."

Elisabeth Peate, Cangen Golan

Ffrog Laura Ashley
Ellen Lloyd Jones

Gaerwen, Môn

Deuthum ar draws y ffabrig hwn wrth glirio yn ystod cyfnod y clo, yn dal yn ei blygiad, a sylweddoli'n syth mai ffabrig Laura Ashley oedd o, o ddiwedd yr 80au. Gan ei fod yn ffabrig mor ffein o ran patrwm, lliw a gwead roedd yn rhaid mynd ati yn syth i'w ddefnyddio i wneud ffrog. Gan fod gen i ddewis reit dda o batrymau, edau, deunydd ar gyfer leinin a zip cuddio, doedd dim angen gwastraffu amser yn siopa, felly ffwrdd â fi!

Dyma'r canlyniad! Dwi ddim wedi gwisgo'r ffrog eto – tybed pryd ga' i gyfle i'w gwisgo?

Ffrog fach Liberty
Haf Parry

Betws-y-coed

Enw'r patrwm hwn ydi Peasant Dress gan Busy Little Things.

Clytwaith
Eirlys Wyn Jones

Cangen Pencaenewydd, Rhanbarth Dwyfor

Pan oeddwn yn ysgrifennu fy ail nofel dechreuais chwilio am ddelwedd i fynd ar y clawr, ond methais ddod o hyd i unrhyw beth fyddai'n adlewyrchu bywyd llwm cyfnod yr Ail Ryfel Byd yn Llŷn. Roedd gen i syniad yn fy mhen am dai bach tlodaidd, lle'r oedd cymuned o ferched yn byw ar eu pennau eu hunain. Dwi wedi bod yn ymhél ag arlunio a chrefftio yn llawer hirach nag yr ydw i wedi bod yn sgwennu, felly ro'n i'n ysu am gael plethu'r ddau beth! Mi es i drwy'r cawdel o ddeunyddiau sydd gen i yn y tŷ a dethol rhai fyddai'n rhoi syniad o naws dywyll ac unig y blynyddoedd caled rheiny. Torrais siapiau bach o ddefnydd a'u gludo ar gefndir du, yna'u pwytho gyda fy mheiriant fel rhyw fath o jig-so.

Mi oeddwn i'n gwnïo llawer iawn ar gyfer y plant pan oedden nhw'n fychan – prin oeddwn i'n prynu dillad iddyn nhw – ac rydw i wedi gwneud blancedi unigryw i bob un o fy wyrion a'm hwyresau ar eu penblwyddi yn 18. Dwi'n pwysleisio nad ydw i'n arbenigwraig o bell ffordd, dwi'n dysgu fy hun wrth fynd, ac yn mwynhau hynny.

"Ers bod yn Ysgrifenyddes Grwp Cwiltio Maldwyn, dwi wedi bod yn cefnogi elusen LINUS sy'n derbyn cwiltiau i blant sydd angen cwtsh – plant sydd wedi colli teulu, neu gael damwain, neu fabi bach sâl. Hefyd, dwi wedi bod yn gwneud clustogau cancr y fron i ysbyty lleol, a bagiau i Fyddin yr Iachawdwriaeth yn ystod y cyfnod clo."

Joan Phillips, Cangen Carno

"Rwyf wedi gwneud llawer i godi arian i elusennau. Y gwaith diweddaraf yw gwneud bagiau ar gyfer adran gofal iechyd meddwl ym Mae Colwyn - maent yn rhoi nwyddau ynddynt er mwyn eu galluogi i gadw mewn cysylltiad â'r cleifion gan nad ydynt yn cael cyfarfod wyneb yn wyneb oherwydd y Covid."

Haf Wyn Roberts, Cangen Llansannan

"Wnes i ddillad i fabanod ma's yn yr Affrig."

Susan Carey, Cangen Dinas Penfro

Ffrogiau Priodas
Haf Wyn Roberts

Cangen Llansannan, Rhanbarth Colwyn

Mi wnes i ffrog briodas i fy merch, Rhian, yn 2007. Mae'n ffrog weddol blaen ond roedd yr orwisg les a'r trên yn newid ei golwg yn syth. Yn 2010 gwnïais ffrog fedydd ar gyfer fy wyres, Elena Nansi, allan o'r defnydd a'r les oedd dros ben.

Ffrog Briodas
Anwen Gwyndaf

Cangen Penmachno, Rhanbarth Aberconwy

Dechreuodd fy niddordeb mewn crefft a gwnïo pan oeddwn yn yr ysgol gynradd. Byddwn yn edrych ymlaen at brynhawniau Mercher gan ein bod yn cael mynd i ddosbarth Mrs Jones i wneud gwaith gwnïo neu frodwaith. Binca oedd y defnydd, ac mi wnes i set ar gyfer y bwrdd gwisgo gan ddefnyddio amrywiaeth o bwythau brodwaith.

Parhaodd fy niddordeb yn yr ysgol uwchradd, a chefais fy mheiriant gwnïo cyntaf yn 17 oed, er mwyn parhau â'r pwnc yn y Chweched Dosbarth. Doedd dim stop arna i wedyn – edrychwn ymlaen at gael prynu defnydd yn siop Talbots yn y Rhyl er mwyn cael gwneud dilledyn i'w wisgo ar gyfer y penwythnos canlynol: ro'n i'n gwneud topiau smoc, ffrogiau *maxi* a hyd yn oed *hotpants*!

Yna, es i ymlaen i'r coleg a dilyn gyrfa fel athrawes Gwyddor Tŷ. Pan oeddwn yn paratoi i briodi, doedd dim amheuaeth pwy oedd am wneud fy ffrog briodas, ynghyd â ffrogiau'r pedair morwyn. Yn ystod y saithdegau roedd dylanwad Laura Ashley yn gryf iawn, ac roeddwn eisoes wedi defnyddio ei defnydd cotwm blodeuog i wneud ambell ddilledyn. Defnydd organsa gwyn a ddefnyddiais ar gyfer fy ffrog i, gan gofio gwneud y tycau mân ar y bodis ac ar waelod y ffrog uwchben y ffrilen. Roedd botymau yn y cefn wedi eu gorchuddio â defnydd a lwpiau *rouleau* mân iawn. Rhoddais ychydig o gynffon i'r ffrog ond doeddwn i ddim isio feil, felly dewisais het, oedd yn ffasiynol ar y pryd, mewn defnydd tebyg i'r ffrog.

Glas oedd lliw ffrogiau'r tair morwyn hynaf, ac mi wnes i ddefnyddio defnydd print glas blodeuog Laura Ashley mewn cotwm pur. Cofiais am y twcau mân ar y bodis a'r llewys llawn! Roedd y forwyn fach yn ddigon o sioe mewn ffrog gotwm wen.

Pan benderfynodd fy merch hynaf briodi cytunodd imi wneud ei ffrog briodas hithau. Priododd Sioned yn 2003, ac erbyn hynny roedd yn rhaid meddwl am thema! Penderfynwyd ar batrwm cwlwm Celtaidd, ac mi es ati i gynllunio'r cwlwm ar flaen a chefn bodis y ffrog gan ddefnyddio peiriant, edeuon a mwclis hadau (*seed beads*) mân iawn. Roeddwn wedi gwnïo cannoedd ohonynt erbyn i mi orffen y ffrog, gan eu bod yn addurno'r gwaelod a'r cefn. Sidan o liw hufen oedd y ffrog, ac roedd yn dilyn yr un syniad â fy ffrog briodas innau, sef botymau mân wedi eu gorchuddio â'r un defnydd. Eto, llwyddais i wneud ffrogiau'r morynion mewn defnydd o liw piws/las. Roedd yn drawiadol iawn ym mhelydrau'r haul gan ei fod i'w weld yn newid lliw!

Prynodd fy ail ferch, Lowri, ei ffrog briodas, ond mi es ati i wneud ffrogiau'r morynion, y gacen a'r cardiau gwahodd. Mae un peth yn cysylltu'r tair ohonom – bu i ni i gyd briodi ar y Sadwrn cyntaf ym mis Awst!

Gwerthu côt i'r Dywysoges Diana

Ar ddiwedd yr wythdegau, dechreuais gwmni bach yn cynllunio a gwneud dillad i blant ac oedolion o'r enw Sionri. Ar gyfer yr oedolion roeddwn yn defnyddio mohair wedi ei wau i wneud siwmperi, cardigans a chotiau moethus wedi'u haddurno â sidan wedi'i beintio â llaw. Roeddwn hefyd yn defnyddio techneg *appliqué* i greu addurn/darlun diddorol ar ledr. Ar gyfer y plant buaswn yn defnyddio cotwm, a sidan eto i greu lluniau lliwgar ar gotiau. Roedd hyn yn ffasiynol iawn yn ystod y cyfnod.

Gan fy mod yn gwerthu i siopau ledled Prydain bu i mi ymaelodi â Chyngor Crefftau Cymru. Roedden nhw'n mynd â samplau o waith crefftwyr Cymreig i Balas Kensington pob blwyddyn. Dyma sut y gwnaeth y Dywysoges Diana brynu un o'r cotiau unigryw – un mewn gwyrdd gyda llun clown ar y blaen a'r cefn!

Clustog
Janet Catrin James

Cangen y Felin, Rhanbarth y De-ddwyrain

Mae gen i ddiddordeb mewn celf a chrefft erioed, ond tra oeddwn yn magu teulu a gweithio nid oedd llawer o amser i ymddiddori mewn crefftio. Bum mlynedd yn ôl daeth y cyfle i orffen gweithio, ac es ati i ddilyn cwrs cynllunio tecstilau a chwiltio gyda'r City & Guilds. Roeddwn wrth fy modd, a dwi mor falch i mi wneud y penderfyniad i fynd ati o ddifrif. Mae'n rhoi modd i fyw i mi bellach. Dwi'n gweithio yn fy Nghaban Crefft, sef yr ystafell leiaf yn y tŷ, ac yn hoff iawn o ddefnyddiau llachar Kaffe Fassett.

Gan fy mod yn hanu o Lanymddyfri'n wreiddiol, mae ymweliad â'r teulu yn aml yn arwain at sbin i siop ddefnyddiau Calico Kate yn Llambed, a'r casgliad o gwiltiau Cymreig yn Neuadd y Dref. Mae'n bwysig i mi bod elfen Gymreig yn fy ngwaith, boed hynny drwy dirluniau o gefn gwlad neu drwy ddefnyddio'r iaith.

Ddwy flynedd yn ôl, ar ôl bod yn creu clustogau unigryw i deulu a ffrindiau, penderfynais greu cyfrif Etsy i arddangos fy ngwaith. Cefais amser prysur iawn gydag arddangosfa o'm gwaith yn Llanwrtyd a ffair grefftau leol, ac ychydig yn ddiweddarach derbyniais gais gan Amgueddfa Abertawe i fod yn rhan o ddathliadau can mlwyddiant Daniel James (Gwyrosydd), y bardd a'r emynydd o Dreboeth, Abertawe. Daniel James ysgrifennodd y geiriau i'r emyn anfarwol 'Calon Lân'. Roeddwn wedi bod yn creu lluniau a chlustogau gan ddefnyddio geiriau 'Calon Lân' fel thema, ac roeddent wedi dal sylw staff yr Amgueddfa ar Etsy. Roedden nhw'n awyddus i arddangos eitemau oedd wedi eu hysbrydoli gan y bardd. Yn anffodus, cafodd yr arddangosfa a'r dathliadau canmlwyddiant eu gohirio oherwydd y pandemig, ond bydd yr arddangosfa i'w gweld yn y dyfodol. Yn dilyn yr arddangosfa bydd ocsiwn o'r gwaith celf a chrefft i godi arian i elusennau lleol sydd wedi dioddef oherwydd y pandemig.

CWILTIO

Cwiltio
Margaret Williams

Cangen Abernant, Rhanbarth Caerfyrddin

Mae cwilt Mam-gu Cwmtywyll, Llandysul, yn y teulu o hyd. Penderfynais wneud dau gopi ohono sawl blwyddyn yn ôl – un â'r lliwiau a'r patrwm gwreiddiol wedi ei gwiltio â llaw, a'r llall mewn defnyddiau mwy modern wedi ei gwiltio â pheiriant. Yn 1996 mi wnes i gwilt llain cyfan o sidan fel rhan o gwrs City & Guilds, 'Cei Haf 1996', a enillodd y wobr gyntaf yn y Malvern Quilt Show. Fe wnes i gystadlu yn yr Hever Castle Quilt Show hefyd.

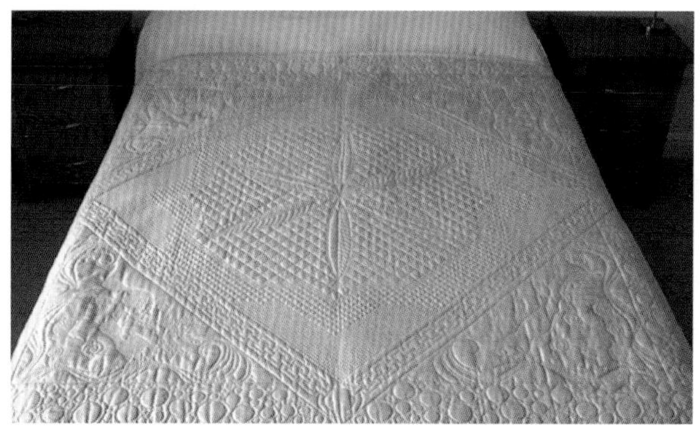

Clustog a chwilt
Bethan Pendleton

Llanelwy

Defnyddiais fy stash o ddefnydd Kaffe Fassett yn lliwiau'r enfys i wneud y rhain. Mae Kaffe Fassett yn ddylunydd tecstilau o fri ac yn adnabyddus yn rhyngwladol. Mae wedi ysbrydoli pobl ar draws y byd efo'i waith gwych a lliwgar.

Cwilt
Angharad Rhys

Cangen Dinbych, Rhanbarth Glyn Maelor

Rwyf wedi bod yn 'gwneud pethau' erioed, ers pan oeddwn yn cael cnocio hoelion i ddarn o bren yn y cwt efo 'nhad. Roedd o'n barod i droi ei law at unrhyw beth, ac felly ro'n inna – dipyn o Siani-bob-swydd ond meistres ar ddim! Roeddwn wrth fy modd yn gwneud gwaith binca yn yr ysgol gynradd ac yn mwynhau cyfri'r tyllau a dysgu pwythau newydd. Ar hyd y blynyddoedd rwyf wedi rhoi cynnig ar wahanol grefftau – beth bynnag oedd yn ffasiynol ar y pryd. Ar ddiwedd y saithdegau ro'n i'n gwneud clytwaith efo defnydd Laura Ashley; gwau, macramé a thapestri yn yr wythdegau; croesbwyth a sampleri yn y nawdegau a dechrau'r ganrif hon, ac yna cwiltio ers tua 2010. Fedra i ddim bod yn segur, ac mae gwneud gwaith crefft yn rhoi sialens a boddhad i mi.

Fel y soniais, fy nhad oedd yn gwneud pethau. Roedd ei fam o yn wniadwraig ac roedd ganddi beiriant gwnïo trestl yn ei chartref, ond erbyn i mi ddod i'w hadnabod roedd clefyd Parkinson's arni, a fedrai hi wneud dim. Yng ngeiriau Dad, roedd Mam yn '*allergic* i nodwydd ddur', ond roedd hi'n dda iawn am goginio! Rwy'n grediniol, os fedrwch chi ddarllen yna mi ddylech fedru dilyn cyfarwyddiadau, a dyna sut y gwnes i ddechrau dysgu popeth. Yna, ar ôl cael blas ar grefft, byddwn yn mynd ar gyrsiau i ddysgu'n iawn. Bûm at Joyce Jones ym Mhlas Tan y Bwlch sawl tro i gynllunio a gwneud sampleri. Yn fwy diweddar, trwy fod yn aelod o Gwiltwyr Dyffryn Clwyd, bûm at Gwenfai Rees Griffiths am wersi cwiltio.

Mae stori y tu ôl i bob darn. Mi wnes fy sampler cyntaf pan anwyd Iolo, ein mab cyntaf. Mi wnes fy nghwilt llawn cyntaf iddo fo a'i wraig, Lisa, yn anrheg priodas. Rwyf wedi gwneud sawl sampler i ddathlu priodasau a dathliadau arbennig, ac erbyn hyn rwy'n gwneud cwiltiau yn anrhegion priodas neu ar enedigaeth. Mae un cwilt o'm gwaith wedi cael ei arddangos yn Quiltfest yn Llangollen, ac yn y Knitting and Stitching Show yn Llundain. Fydda i ddim yn cystadlu, ond mae'n deimlad braf gweld cwilt yn cael ei arddangos.

CLYTWAITH

Clustogau
Ann Bowen Lerche

Aelod unigol, Yr Alban

Dechreuais grosio pan oeddwn tua 9 oed, gan ddysgu wrth draed fy Mam-gu. Dysgais wneud clytwaith a gwnïo dillad yn yr ysgol Ramadeg.

Clytwaith Gorchudd Gwely
Annette Hughes

Cangen Clydach, Rhanbarth Gorllewin Morgannwg

Dal ati yw fy nghyngor i bawb – gan bwyll mae mynd ymhell!

Clytwaith Cathedral Window
Medwen Charles

Cangen Maesywaun, Rhanbarth Meirionnydd

Pan oedd Mam yn symud tŷ daeth ar draws lliain bwrdd oedd wedi dechrau dirywio. Roeddwn yn dilyn cwrs gyda Mim Roberts ar y pryd, a phenderfynais ddefnyddio'r defnydd i greu cwilt o'r newydd. Bellach mae'r cwilt gan Mam ar gefn ei soffa.

Clustog Bargello
Elinor Talfan Delaney

Cangen Llundain, Rhanbarth Ceredigion

Patrwm a brynais yn yr UDA yw hwn, gan feddwl ei fod yn edrych yn syml! Ar ôl i mi ddechrau'r gwaith, deuthum i sylweddoli mor gymhleth oedd plethiad y rhubanau. Mae'r rhubanau mwyaf wedi'u gwnïo gyda 10 llinyn o fflos brodwaith, ond i greu'r argraff o blethu o dan ei gilydd mae'n rhaid lleihau i 6 neu 8 llinyn am y rhes o bwythau cyn mynd 'oddi tano'. Ar ben hynny, mae'n rhaid rhifo'r patrwm yn ofalus i wneud yn siŵr fod y rhubanau yn ymddangos yn gywir yn ôl y patrwm. Roedd yn fisoedd o waith cymhleth!

"Mae ysbrydoliaeth yn dod o wahanol lefydd: byd natur, gweld rhywbeth o ddiddordeb, a hefyd trwy weld gwaith pobl eraill. Fel arfer tydi hi ddim yn broblem cael syniadau – dyna ble mae'r pleser mwyaf yn dod."

Llinos Roberts, Cangen Henllan

Eglwys y Mwnt
Mairwen Gwilliam

Aberteifi

Llun wnaeth Sian, ein merch, yw hwn. Ymfudodd y teulu i America yn 1999, ac maen nhw'n hiraethu am yr hen wlad nawr ac yn y man.

Mae Sian wedi bod yn hoff o wnïo ers pan oedd yn ferch ifanc. Peiriant gwnïo gafodd hi ar ei phen blwydd yn un ar hugain, ac mae wedi cael cymaint o ddefnydd nes ei fod e newydd dorri i lawr! Mae Sian yn 53 erbyn hyn, felly cafodd flynyddoedd o waith da allan ohono.

Mae hi'n mwynhau gwneud lluniau o lefydd roedd hi'n gyfarwydd â nhw ers talwm, allan o ddefnydd sydd gyda hi rownd y tŷ. Ac mae llawer i'w gael yno! Bydd yn dewis lliwiau addas a'u torri allan i siwtio'r llun, cyn gwneud llun o'r patrymau bach, a'u gwnïo gyda'r peiriant.

Mae wrth ei bodd yn gwneud pob un, ac yn eu fframio er mwyn eu rhoi yn anrhegion.

Bob tro y bydd hi a'r teulu yn dod draw i Gymru, rhaid mynd am dro i draeth y Mwnt, dringo'r Foel, a mynd i mewn i'r eglwys. Dyma pam mae'r llun hwn yn ffefryn gen i. Mae'n dod â Sian yn agos ataf.

"Roedd Mam-gu yn wniadwreg, ac yn gwneud pob math o bethau. Roedd Mam hefyd yn gwau a smocio, felly pan oeddwn yn blentyn dwi'n cofio gwisgo ffrog wedi ei gwneud gan Mam-gu a'i smocio gan Mam. Pan oeddwn yn 14 oed, roeddwn eisiau ffrog 'shifft' i fynd i ddawns - 2 lath o ddefnydd oedd ei angen i'w chreu, a hynny yn 1962."

Bethanne Williams, Cangen Llanrug

SAMPLERI

Ystyr y gair 'sampler' yn y Gymraeg yw darn o frodwaith sidan neu wlân ar gynfas neu ddefnydd arall sy'n cynnwys symbolau, geiriau neu frawddegau wedi'u brodio mewn lliwiau gwahanol. Mae hanes y rhain yng Nghymru yn mynd yn ôl i'r unfed ganrif ar bymtheg. Daw un o'r cyfeiriadau cyntaf yn y Gymraeg atynt gan y bardd Tudur Aled o'r ganrif honno:

Aur wniadau a'r nodwydd
Arfer o'r sampler yw'r swydd.

Roedd y sampleri cyntaf yn cynnwys esiamplau o frodwaith amrywiol, ac fel arfer yn hir ac yn gul fel eu bod yn addas i'w rolio (weithiau ar ddarn o ifori). Byddai merched ifanc yn cyflwyno sampler o'u gwaith brodio wrth gynnig am swydd yn ystadau mawrion Cymru, fel prawf o'u gallu i adnabod llythrennau ac o'u deheurwydd gyda'r nodwydd. Roedd hyn yn gweithio fel byddai CV heddiw.

Mae'r sampleri cynnar wedi'u brodio mewn sidan ar liain main, ac mae esiamplau o'r rhain yn brin ac yn werthfawr iawn. Datblygodd y sampler dros y canrifoedd i gynnwys mwy na brodwaith a llythrennau - symbolau fel tai, adar, coed a blodau - ac yna tua'r ddeunawfed ganrif i gynnwys llythrennau, brawddegau a dyfyniadau. Yn aml iawn roedd natur grefyddol neu foesol i'r dyfyniadau hyn. Nodwedd arall o'r sampleri cynnar a diweddar yw enw, oed y wniadwraig a'r dyddiad.

Yn ystod y bedwaredd ganrif ar bymtheg, pan sefydlwyd ysgolion lle dysgwyd gwnïo, gwelwyd bod gwerth addysgol i greu sampler, ac yna, wrth gwrs, roedd yn rhaid cynnwys rhifau. Dyma gyfnod y sampler gwlân ar gynfas a chroesbwyth. Dylanwadwyd ar sampleri'r cyfnod hwn gan wlân-waith Berlin, a fewnforiwyd o'r cyfandir.

Un o'r pethau diddorol am y sampleri a wnaethpwyd yng Nghymru yw mai prin iawn yw'r rhai Cymraeg. Y rheswm am hyn yw eu bod wedi'u creu yn yr ysgolion lle roedd y Welsh Not yn dal i fodoli, a'r Saesneg yn gyfrwng i'r addysgu. Os cewch chi hyd i hen sampler Cymraeg, trysorwch e - a gwell byth, ewch ati i greu un Cymraeg newydd!

Ann Rosser, Cangen Lôn Las, Rhanbarth Gorllewin Morgannwg

Map Eisteddfodau Môn Gladys Pritchard

Cangen Caergybi, Rhanbarth Môn

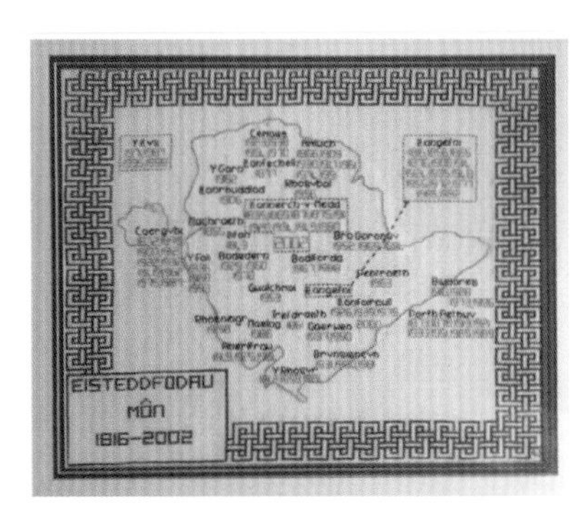

Gweddi'r Pwythwr
Beti Davies

Cangen Abergorlech, Rhanbarth Caerfyrddin

Map y Fferm
Gwenan Jones

Cangen Bro Ddyfi, Rhanbarth Maldwyn

Rwyf wedi creu darluniau gwaith du i ddangos caeau'r fferm, fel ffordd o gofnodi hanes ein tir amaethyddol ar gyfer y genhedlaeth nesaf.

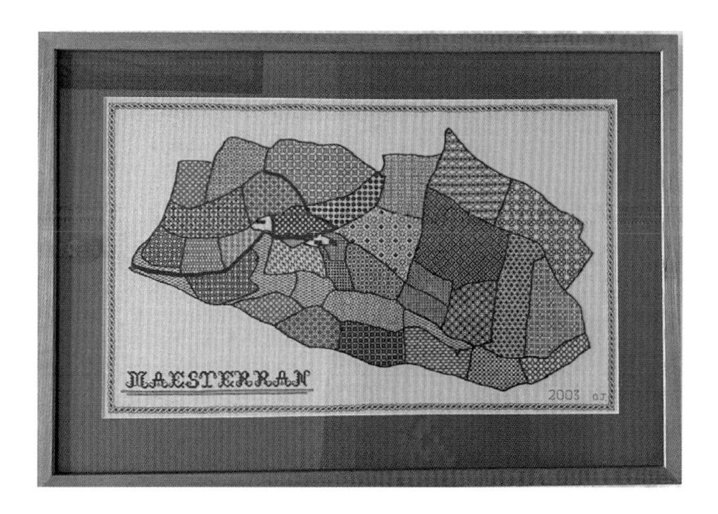

Croesbwyth

i gofio Henry Richard, Tregaron, 'Yr Apostol Heddwch'

Llinos Roberts-Young

Cangen Aberystwyth, Rhanbarth Ceredigion

Dau beth a'm hysbrydolodd i wneud portread croesbwyth o Henry Richard, Tregaron – y cyntaf oedd ymaelodi â Chymdeithas Brodwaith Cymru ar ôl ymweld â'u stondin ysblennydd yn Eisteddfod Llanelli 2014. Doedd gen i ddim profiad blaenorol o frodweithio o gwbl, a bu aelodau Cangen y Canolbarth o'r gymdeithas yn ysbrydoliaeth i mi wrth imi fynychu un o'u gweithdai. Yr ail beth wnaeth fy ysbrydoli oedd y cyhoeddiad bod yr Eisteddfod yn dod i Geredigion, ac yn benodol i Dregaron. Fe es i chwilio am hanes Henry Richard, gŵr y mae cofgolofn iddo yn sefyll ar sgwâr y dref. Meddyliais fod yr Eisteddfod yn esiampl o'r hyn yr oedd Henry Richard yn ei gadw mewn cof, ac sydd wedi ei ysgrifennu ar y gofgolofn: 'Peidio ag anghofio iaith, fy ngwlad a phobol ac achos fy ngwlad a pheidio esgeuluso unrhyw gyfle i amddiffyn cymeriad a hyrwyddo buddiannau fy ngwlad'.

Dewisais y llun oddi ar y we gyda help fy mab, Tomos. Roeddwn am bortread 'byw' o Henry Richard yn hytrach na llun fel y mae'n sefyll ar y gofgolofn. Anfonodd Tomos y llun dros y we at gwmni o'r enw pixel-stich.net sy'n trawsffurfio lluniau i mewn i batrymau croesbwyth.

Y dechneg a ddefnyddiais oedd croesbwyth, sy'n un o'r pwythau symlaf a mwyaf sylfaenol mewn brodwaith. Er fy mod wedi dysgu lliaws o bwythau gwahanol yn Ysgol Gynradd Gymraeg Cwmtwrch dros hanner canrif yn ôl, i mi, croesbwyth yw'r symlaf. Edau DMC a ddefnyddiais, ac roedd 18 lliw gwahanol yn y patrwm. Mae'r gwahanol liwiau yn creu'r portread yn fyw fel y llun gwreiddiol.

Mae 14,620 o bwythau yn y patrwm. Mae'n anodd mesur faint o amser gymerais i wneud y gwaith, ond mi ddechreuais i ychydig ar ôl y seremoni gyhoeddi yn Aberteifi, a gorffen cyn Ebrill 2020, pryd yr oedd arddangosfa Cymdeithas Brodwaith Cymru i fod i gael ei chynnal yn Ystafell Seddon, yr Hen Goleg, Aberystwyth. Cyngor fy Mam-gu, a oedd yn wniadwraig ym Mhlas Llysnewydd, Drefach Felindre, oedd 'bydd neb yn gofyn iti faint o amser gymerodd e iti 'i wneud e, dim ond pwy wna'th e!' Yn y gaeaf rwy'n brodio gan fwyaf, felly cymerodd ddau aeaf i mi! Edrychwn ymlaen yn ffyddiog at Eisteddfod Ceredigion yn Nhregaron yn 2022! Ymlaen!

Sampler i fabi
Elin Angharad

Clwb Gwawr Llygad y Dydd, Rhanbarth y De-ddwyrain

Dwi wedi cynllunio a gwneud sampleri fy hun ar gyfer achlysuron arbennig ac i aelodau o'r teulu.

Croesbwyth
Catherine Watkin Thomas

Cangen y Bontfaen, Rhanbarth y De-ddwyrain

Dyma'r croesbwyth o Gastell Cricieth – Joyce Jones wnaeth y cynllun yn arbennig i mi. Daeth yn ail yn y Sioe, ond dwi ddim yn cofio pryd!

Llun Patagonia
Iona Owen

Penparc, Aberteifi

Llun unigryw i gofio am daith fythgofiadwy i Batagonia yn Hydref 2019 pan aeth grŵp dan arweiniad y Parch Eirian Wyn Lewis i ymweld â'r Wladfa. Mae'r llun yn cynnwys golygfeydd o Gwm Hyfryd, y Paith a Dyffryn Camwy. Y capel yw capel Moriah, Trelew, lle claddwyd llawer o'r ymfudwyr cyntaf oedd ar y Mimosa. Y geiriau yw 'Gwlad Newydd y Cymry' a ysgrifennwyd gan Lewis Evans i'w chanu ar yr un dôn â 'Hen Wlad fy Nhadau'. Cafodd y cynllun ei greu gan y gŵr, Maldwyn, a fe hefyd wnaeth yr holl waith llaw.

FFELTIO

Ffelt yw gwlân wedi ei rolio, ei blethu a'i wasgu mewn dŵr poeth i gyd-gloi'r edafedd i greu defnydd cadarn, cynnes, hyblyg a chryf. Dyma'r defnydd hynaf yn y byd – mae darnau wedi eu darganfod yn India, Tsieina a Phersia sydd dros 3,000 o flynyddoedd oed.

Does dim eisiau peiriannau i greu ffelt, felly roedd ar gael cyn amser gwehyddu, gwau a gwnïo. Mae chwedl mai Sant Clement a ddarganfu ffelt wrth iddo roi gwlân yn ei sandalau – wrth iddo gerdded o le i le bu i'w symudiadau a'i chwys newid y gwlân i fod yn ddarn o ffelt o dan ei draed! Ef yw nawdd Sant yr Hetwyr, wrth gwrs.

Ceir hanes hynod ddiddorol am y diwydiant ffeltio yng Nghymru, a'r gwaith o gynhyrchu hetiau Cymreig. Yng nghyfrifiad 1841 roedd 447 person yn gwneud hetiau yng Nghymru – 124 ohonynt yng Ngheredigion – ond erbyn 1861 dim ond 220 oedd ledled Cymru, a 42 yng Ngheredigion. Yn yr ardaloedd lle'r oedd mawn (tanwydd), dŵr a defaid y bu'r diwydiant ar ei fwyaf llewyrchus. Un o'r ardaloedd hyn yng ngogledd Ceredigion oedd pentre Tre'r Ddôl ger Cors Fochno. Gwnaed yr hetiau tal traddodiadol yno allan o wlân defaid, ond hefyd o wlân cwningod. Roedd yn rhaid berwi'r gwlân gan ddefnyddio mawn o'r gors, yna ei ffurfio dros flocyn o siâp yr het, ei liwio a'i sychu. Gwerthid yr hetiau ar hyd Cymru a'r tu hwnt i Glawdd Offa am 10/- i 12/-, ond bu'r twf yn y ffasiwn o wisgo hetiau sidan yn ddigon i orffen y diwydiant hwn.

Mae ffelt yn ddefnydd naturiol o wlân y ddafad. Gellir defnyddio gwlân alpaca i ffeltio hefyd, felly mae'n feddal, cynnes, ysgafn, hyblyg a chryf, yn ogystal ag yn dal dŵr, a gall fod yn lliwgar. Gall wrthsefyll tân ac mae'n hollol fioddiraddadwy (*biodegradeable*). Mae dros 1,000 brid o ddefaid yn y byd, a 60 o'r rhain i'w cael ym Mhrydain. Mae ffibr gwlân pob brid ychydig bach yn wahanol o ran trwch, hyd ac ansawdd – gelwir hyn yn *staple length*. Defnyddir gwlân y ddafad Merino gan amlaf i greu gwaith ffeltio creadigol – daw'r ddafad Merino o hemisffer y de, gwledydd megis De America, De'r Affrig, Awstralia a Seland Newydd.

Gellir gwneud pob math o bethau â ffelt: dillad, hetiau, gorchudd bwrdd snwcer, deunydd insiwleiddio a gwaith celf. Wrth ei drin rydych yn ymlacio'n llwyr – mae ffeltio'n therapiwtig iawn ac yn llesol. Bron nad yw'n gyfle i fyfyrio!

Dulliau o greu Ffelt

Mae'n rhaid cael gwlân wedi ei wau/gwehyddu, dŵr poeth iawn a chynnwrf (*agitation*) i wneud ffelt.

Ffeltio gwlyb gwlân + sebon + dŵr + cynnwrf = ffelt

Ffeltio sych gwlân + cynnwrf +nodwyddau = ffelt

Ffeltio nuno gwlân + sidan + cynnwrf = ffelt

Beti Wyn Davies, Cangen Aberystwyth, Rhanbarth Ceredigion

Ffeltio gwlyb syml gan orchuddio cerrig

Ffeltio sych

Ffeltio nuno

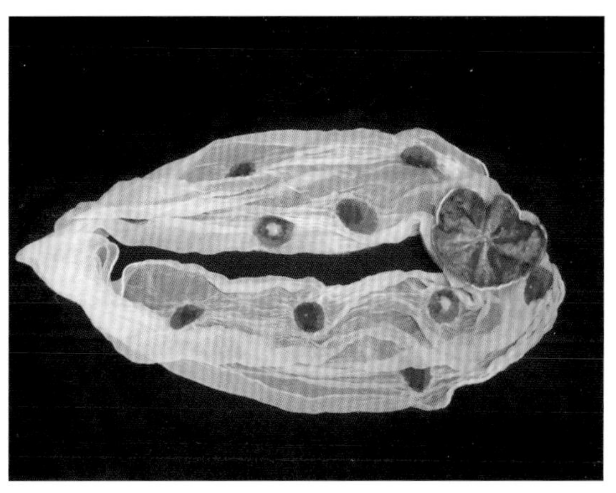

Mae aelodau Merched y Wawr wedi dilyn cyrsiau o bob math, o rai lleol i City & Guilds, i ddysgu a datblygu eu sgiliau crefftio. Ond mae'r canlynol hefyd yn ffynhonell ysbrydoliaeth:

- Llyfrau a chylchgronau
- Pinterest
- Gwefannau cymdeithasol
- YouTube
- Tudalen Facebook Curo'r Corona'n Crefftio

Sliperi
Eleri Jones

Cangen Llanelwy, Rhanbarth Colwyn

Mae'r gŵr yn cadw defaid a phenderfynais geisio ffeltio'r gwlân gan nad oeddem yn cael dim, bron, am y cnu ar ôl cneifio'r defaid. Doedd neb yn y teulu yn ffeltio, felly ymunais â Ffeltwyr Gogledd Cymru. Byddaf yn ffeltio ar fwrdd y gegin – druan o'r gŵr pan ddaw i chwilio am ei ginio a'i swper! Cefais y wobr gyntaf am ddarn wedi ei ffeltio yng Ngŵyl Haf Merched y Wawr ryw dair blynedd yn ôl, a bûm yn diwtor ffeltio deirgwaith ar Gwrs Crefft y Gogledd Merched y Wawr. Dwi newydd wneud y pâr yma o slipers i mi fy hun.

Cae Seilej
Mary Mars Lloyd

Cangen Dinbych, Rhanbarth Glyn Maelor

Celf Ffelt
Rhiannon Parry

Cangen Penygroes, Rhanbarth Arfon

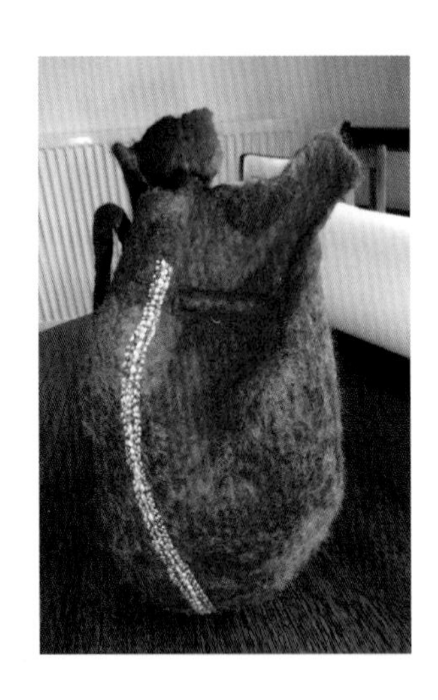

Elinor Ann Hughes

Llanerfyl

Mi wnes i greu llun o fuwch odro gan ddefnyddio'r dechneg ffeltio â nodwydd (*needle felting*) er cof am gymydog, Richard Llysun. Defnyddiais yr un dechneg i greu llun y llwynog.

Gwehyddu
Olwen Rhys

Cangen Llaniestyn, Rhanbarth Dwyfor

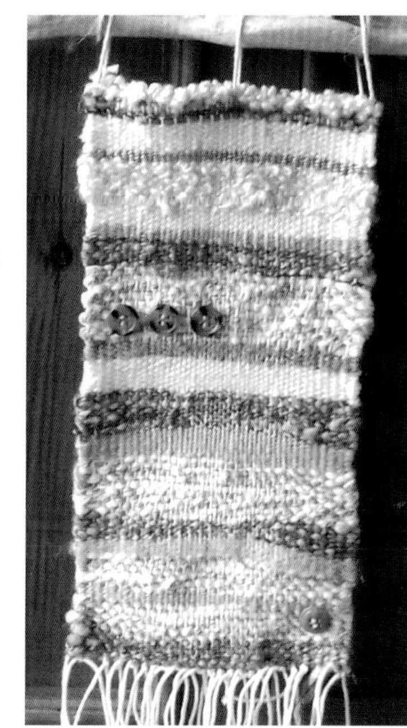

Dwi'n cael fy ysbrydoli wrth edrych ar liwiau gwlân ar gyfer ffeltio, ac mae llawer o 'ngwaith yn abstract. Mae'r gwaith *collage* yn lluniau mwy penodol o lefydd neu wrthrychau, a pheth ohono wedi ei ysbrydoli gan ymweliad â gardd Monet.

Mi es i ar gwrs penwythnos oedd yn cael ei arwain gan Elin Huws (athrawes Gelf yn Ysgol Botwnnog) ym Mhlas Tan y Bwlch nifer o flynyddoedd yn ôl. Trefnwyd y cwrs gan Gymdeithas Brodwaith Cymru. Mae Elin wedi arbenigo yn y math yma o waith, ac yn gwehyddu llawer o dirluniau o ardal Pen Llŷn. Mae ei gwaith hi'n fân iawn, ac yn defnyddio edafedd tenau, lliwgar.

Ar ôl colli Mam yn ystod y blynyddoedd diwethaf, ac etifeddu llawer o wlân ar ei hôl hi, penderfynais yn ystod y cyfnod clo y byddwn yn gwneud defnydd o'r gwlân yma. Mi es ati i osod y ffrâm gan daro pinnau cadarn bob pen (top a gwaelod) i greu'r gwŷdd. Roeddwn wedyn yn clymu edau gotwm gryf o amgylch y pinnau o'r top i'r gwaelod ac yn ôl, gan ailadrodd hyn nes bod yr ystof yn ei le. Gan ddefnyddio nodwydd go fawr a thro ar ei blaen, roedd y gwehyddu yn dechrau o'r gwaelod gan ddefnyddio gwahanol wlân o liw ac ansawdd, er mwyn ceisio creu gwead diddorol. Ar ôl ei orffen teimlwn mai ei osod ar ddarn o froc môr fyddai fwyaf deniadol, ac ychwanegais ychydig o edau oren a botymau er mwyn creu ychydig o ddiddordeb.

"Prynais git gwaith brodwaith tua deugain mlynedd yn ôl, ac erbyn hyn dwi wedi cynllunio a phwytho dros gant o sampleri."

Olwen Rhys, Cangen Llaniestyn

"Mi wnes i ddechrau crefftio yn 1945 - doedd dim llawer o bethau eraill i'w gwneud yn yr hwyr amser hynny!"

Bessie Marks, Cangen Llannau'r Tywi

Llyfr Babi Appliqué
Meinir Roberts

Cangen Llwyndyrys, Rhanbarth Dwyfor

Llyfr distaw yn anrheg i fabi newydd.

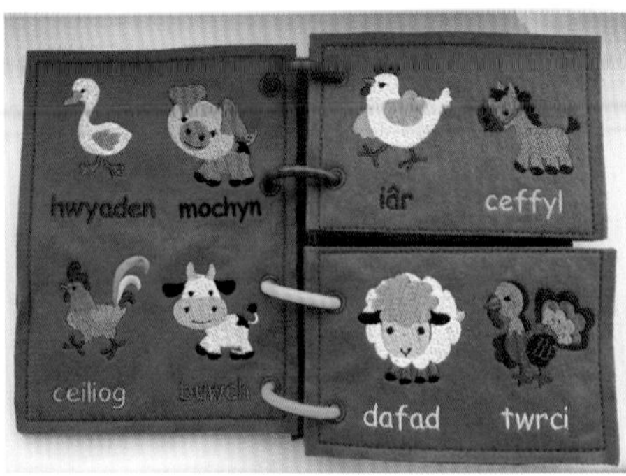

Baner Mwynder Maldwyn
Delyth Rees

Cangen Bro Ddyfi, Rhanbarth Maldwyn

Paratowyd y faner arbennig hon ar gyfer Eisteddfod yr Urdd Brycheiniog a Maesyfed a Sioe Llanelwedd, y ddau ddigwyddiad ar faes y Sioe yn Llanelwedd yn 2018. *Collage* ydyw gydag *appliqué*, ac fe welir y merched yn dathlu hapusrwydd a Mwynder Maldwyn, gydag un neu ddwy mewn gwisgoedd o ddefnydd Laura Ashley.

Baner Clybiau Gwawr: Dathlu'r Aur
Pat Tillman

Clwb Gwawr y Gwendraeth, Rhanbarth Caerfyrddin

Fy mhrif bwnc yn y coleg oedd Celf, ac ro'n i'n arbenigo mewn Tecstiliau. Ar ôl gadael ro'n i'n mwynhau gwneud dillad i mi fy hun a chreu anrhegion i'r teulu: teganau meddal, clustogau, cwiltiau, lluniau ffelt ac ati. Ailgydiais mewn crefftio ar ôl ymddeol.

Roedd yn fraint cael y cyfle i greu panel i gynrychioli Clybiau Gwawr Cymru yn ystod Dathliad Aur Merched y Wawr. Profiad bythgofiadwy, ac un yr oeddwn mor falch o gael bod yn rhan ohono. Dwi wedi dysgu cymaint wrth ei wneud.

Baner Genedlaethol
Janet Evans

Cangen Beulah, Rhanbarth Ceredigion

Rydw i'n crefftio ers pan oeddwn yn blentyn, a chefais beiriant gwnïo pwyth cadwyn gan Santa pan oeddwn yn 10 oed. Dwi wedi dysgu llawer ar gyrsiau a thrwy fod yn aelod o glwb brodwaith. Fi wnaeth y panel Cenedlaethol ar gyfer Merched y Wawr, ar y cyd ag aelod o'r gogledd, ac roedd y profiad yn anrhydedd fawr.

Dwi hefyd wedi gwneud lliain a brodwaith aur ar gyfer pulpud y capel, ac wedi ennill amryw o gystadlaethau.

CLUSTOGAU
Marian James

Cangen Llanfair Caereinion, Rhanbarth Maldwyn

Dechreuais grefftio pan oeddwn yn saith mlwydd oed, gan ddilyn yn ôl troed fy nhad a oedd yn greadigol mewn sawl maes. Mi fues i'n gwneud paneli o frodwaith ar gyfer ffrogiau priodas a oedd yn cael eu gwerthu yn siop enwog Liberty's yn Llundain, a thros Brydain.

Joan Phillips

Cangen Carno, Rhanbarth Maldwyn

Rwy'n aelod o grŵp cwiltio Maldwyn. Dyma enghreifftiau o glustogau cwiltio gwallgof (*crazy quilting*) - gyda'r dechneg yma mae pob clustog yn wahanol.

Ffrog
Buddug Ward

Cangen Tegryn, Rhanbarth Penfro

Yn 1989 roedd f'unig frawd, John, yn priodi, felly rhaid oedd mynd i siop Ededa J! Ar ôl cael dillad addas ar gyfer y diwrnod, gwelais ffrog borffor hyfryd a chwympo mewn cariad â hi – rhaid oedd ei phrynu! Cafodd ei gwisgo sawl gwaith mewn partïon posh nes iddi fynd yn rhy fach (nid fi oedd wedi tewhau, wrth gwrs!), felly bu hi'n cymryd lle yn y cwpwrdd am flynyddoedd, a minnau'n methu'n deg â'i rhoi yn y bag siop elusen.

Yn 2013 cefais gancr y fron, a chefais godi fy mron. Ar ôl hynny allwn i ddim gwisgo dim â gwddf isel. Roedd hyn yn effeithio ar fy hyder i wisgo pethau del, ac roedd hi'n anodd iawn ffeindio dillad addas yn y siopau.

Ar ôl ymddeol yn 2015 dechreuais fynychu dosbarthiadau gwnïo Rebecca Brinton yng Nghrymych er mwyn addasu a chreu dillad i'm siwtio. Cefais y syniad o fynd â'r ffrog borffor yno, gan obeithio y gallwn wneud defnydd ohoni unwaith yn rhagor.

Roedd dwy broblem gyda'r ffrog – roedd hi'n rhy fach a'r ffrynt yn rhy isel. Ar ôl edrych yn fwy manwl gwelais fod y ffrog wedi ei gwneud o dair haenen o'r un defnydd. Yn digwydd bod, roedd gen i les lliw porffor perffaith yn fy *stash* yn y tŷ (mae pob un sy'n gwnïo yn prynu pob math o ddefnyddiau dros amser gan eu bod yn siŵr y byddant yn dod yn handi ryw ddydd!), felly es i amdani! Dechreuais ddatod pob rhan o'r ffrog heblaw'r cefn oedd yn cynnwys y zip. Defnyddiais un haenen o bob rhan i wneud 2 banel i'r ochrau, gan eu tynnu at ei gilydd i greu'r un effaith â gweddill y ffrog. Bu'n rhaid datod pob un o'r petalau a'u hail-dynnu at ei gilydd gan fod y ffrog yn fwy llydan erbyn hyn. Roedd y les wedyn yn cael ei dorri allan o batrwm a'i ffitio i weddill y ffrog gan ddefnyddio *bias binding* o amgylch y gwddf a'r llewys. Roedd y bow ar y ffrog wreiddiol yn isel, ond trwy ei godi roeddwn yn gallu cwato pechodau'r fron.

Er bod y cyfan wedi cymryd tipyn o amser ac ambell ben tost wrth ddatrys problemau, rwy'n hapus iawn gyda'r ffrog orffenedig, ac wedi ei gwisgo ar fordeithiau ac yn Sioe Ffasiwn ail/uwch gylchu y Sioe Frenhinol (Sir Benfro). Rwy'n edrych ymlaen yn fawr iawn nawr am gael mynd ar fordeithiau eto, a'i gwisgo.

Crefftau Papur, Gwydr a Gemwaith

YSGRIFEN GAIN

Ers milenia mae pobol wedi teimlo'r angen i adael eu nod – meddyliwch am y patrymau cymhleth ar y cerrig enfawr tu mewn i siambr Barclodiad y Gawres ar Ynys Môn.

Datblygodd y Swmeriaid yr ysgrifen gyntaf ar glai, ac ar ôl hynny ysgrifennodd y Groegwyr ar dabledau cŵyr. Erbyn i'r Rhufeiniaid gyrraedd Prydain roedd gwyddor go iawn ar gael, ac yn lledaenu ochr yn ochr â Christnogaeth. Trodd yr hen fynachod o sgroliau at lyfrau, a llanwyd hwy gyda phatrymau lliw ac aur yn ogystal â datblygu sgriptiau newydd, fel y modd o gyflwyno llythrennau a elwid yn *insular half unical* ac a ddefnyddiwyd yn Llyfr Kells.

Roedd Cymru yn rhan o'r cyffro. Roedd Llanilltud Fawr ym Mro Morgannwg yn ganolfan addysg Gristnogol arbennig yn creu meini hirion llawn clymau, a hen ysgrifen. Yn Llandeilo, roedd yr Efengylau yn yr hen eglwys yn dangos enghreifftiau o ysgrifen gynnar yn yr iaith Gymraeg ar ochrau'r tudalennau. Yn ffodus, mae llyfrau hynafol gwerthfawr fel Llyfr Coch Hergest, Llyfr Du Caerfyrddin a Llyfrau Taliesin ac Aneirin wedi goroesi dros y canrifoedd i rannu eu hanes gyda ni.

Pan ddatblygodd Gutenberg ei wasg argraffu yn y bymthegfed ganrif, daeth dechrau'r diwedd i waith llaw arbenigol a llyfrau unigryw, ond erbyn yr ugeinfed ganrif roedd pobl dalentog fel William Morris, Edward Johnson ac Eric Gill wedi dechrau sylweddoli fod crefftau fel hyn yn bwysig. Daeth bri yn ôl i gainlythrennu, ac erbyn hyn mae Ieuan Rees, ceinlythrennwr a saer maen o Rydaman, a'r ceinlythrennydd nodedig Donald Jackson, yn feistri ar eu crefft.

Felly, nid dim ond geiriau ar ddarn o bapur yw ysgrifen gain – fel mae'r meistri yn dangos, gallwch greu a llenwi llyfrau bach, sgroliau, siapau 3D, lluniau a chardiau cyfarch â chainlythrennu, ac erbyn hyn mae modd defnyddio cyfrifiaduron i greu llythrennau. Gellir gweithio ar garreg, defnydd, gwydr, pren neu unrhyw gyfrwng arall, a gall y grefft eich arwain i fyd creadigol iawn.

Grace Birt, Cangen Abertawe, Rhanbarth Gorllewin Morgannwg

"Ailgydio mewn crefftio ar ôl ymddeol wnes i, gan ddefnyddio'r arian gefais i brynu peiriant gwnïo, a heb edrych 'nôl. Mae bod yn greadigol yn llenwi fy mywyd i. Mae clustog gen i sy'n dweud, yn Saesneg, 'Nid hobi yw crefftio ond ffordd o fyw' ac mae hynny mor wir yn fy achos i!"

Pat Tillman, Clwb Gwawr y Gwendraeth

Cainlythrennu
Grace Birt

Cangen Abertawe, Rhanbarth Gorllewin Morgannwg

Pryd mae crefft newydd yn troi yn obsesiwn? Pan mae'r stafell sbâr yn llawn dop gyda'ch stwff hanfodol!

Dechreuais drwy fynd i ddosbarthiadau ysgrifen gain oedd yn cael eu trefnu gan Dysgu am Oes Abertawe. Ddeng mlynedd yn ddiweddarach dwi'n dysgu arddulliau newydd a sgiliau gwahanol o hyd. Nawr dwi'n dechrau deall strwythur pob llythyren ac yn teimlo'n gyfforddus i arbrofi'n ddi-stop. Mae'r astudiaeth hon wedi agor cymaint o ddrysau i mi – dwi'n cynnal gweithdai a siarad â grwpiau gwahanol yn yr ardal, cwrdd â phobl dalentog a diddorol, teithio drwy Gymru ac ymhellach i weld llyfrau enwog a hanesyddol, ac rwyf wedi helpu i sefydlu a threfnu cymdeithas newydd, sef Ysgrifenwyr De Cymru. Yn ogystal â hyn, dwi'n paratoi gwaith ar gyfer cystadlaethau MYW, sydd wastad yn her gyffrous ac yn rhan bwysig o gefnogi'r mudiad.

Gall unrhyw un wneud ysgrifen gain cyn belled â bod papur a phensil gyda nhw. Pan fydd cyfle gen i i eistedd, mae wastad pen a llyfr ar fy nglin. Ac unwaith rydych chi'n dechrau, mae byd newydd yn agor lan – byd o bob math o beniau, inc, aur, papur, felwm, gouache, dyfrlliw ac ati. Defnyddiwch unrhyw steil – Roman Rustic, Celtic Uncials, Italics, Gothic neu Copperplate. Mae digon o lyfrau a fideos ar-lein i'ch rhoi chi ar ben ffordd. Gadewch i'ch dychymyg fynd â chi i fyd o greu – llyfrau bach, bocsys bach, darnau 3D, cardiau cyfarch, torri papur, gwaith cwlwm Celtaidd, gwaith ar ddefnydd, darnau mawr ar gyfer arddangosfeydd neu addurno'r ardd! Mae'r posibiliadau'n ddiddiwedd. Mae eich byd yn gyfoethog... a does neb yn rhy hen i ddysgu!

Cwilio
Glenys Morgan

Cangen Penrhyn-coch, Rhanbarth Ceredigion

Cwilio yw'r grefft o rolio stribedi tenau o bapur lliw o amgylch offeryn i wneud cylchoedd, a'u siapio a'u gludo i wneud lluniau, addurniadau, gemwaith a llu o ddarnau eraill.

Dechreuodd y grefft dros 500 mlynedd yn ôl pan oedd pobl yn torri stribedi tenau o hen lyfrau er mwyn eu rholio a'u gludo. Mae'n debygol mai'r offer cyntaf a ddefnyddiwyd i droi'r papur o'i amgylch oedd cwilsyn pluen aderyn. Mae enghreifftiau o gwilio cywrain iawn wedi goroesi sydd ag ymylon aur i'r papur, a chredir bod y stribedi papur wedi eu torri o ochrau tudalennau Beiblau'r cyfnod.

Nawr, defnyddir darn o bren ac ynddo'r hyn sy'n edrych fel nodwydd heb ben – mae'r papur yn cael ei rolio o amgylch y ddau ddarn o fetel sydd ynddo. Ar ôl rolio'r papur a'i ollwng i agor allan i'r maint rydych ei angen, rhaid gludo'r papur gyda glud di-liw. Pan fydd digon o'r siapiau angenrheidiol wedi eu gwneud mae angen eu rhoi i gyd at ei gilydd a'u gludo i wneud y llun neu addurn gorffenedig.

Dechreuais ymddiddori yn y grefft hon pan ddaeth merch leol atom i Ferched y Wawr rhyw 20 mlynedd yn ôl a llwyddais i wneud robin goch bychan. Ers hynny, oherwydd symlrwydd a phosibiliadau'r grefft, rwyf wedi creu nifer o gardiau, bocsys, addurniadau Nadolig, gemwaith ac yn y blaen.

"Dwi'n cael fy ysbrydoliaeth o fyd natur,
yr amgylchedd ac arddangosfeydd."
Morwen Thomas, Cangen Llanbedr Pont Steffan

PEINTIO AR WYDR

Elin Cullen

Clwb Gwawr y Gwendraeth, Rhanbarth Caerfyrddin

Paentiad dyfrlliw wedi'i addurno â phaent gwydr yw hwn.

1. Rwy'n dechrau trwy beintio paentiad dyfrlliw a'i fframio mewn ffrâm blaen wydr neu bersbecs.
2. Yna, rwy'n gorchuddio'r blodau a'r coesau gyda phaent Pebeo Cerne Relief, er mwyn gwneud yr amlinelliad, ar ben y gwydr. Mae angen gadael i hwn sychu cyn symud ymlaen.
3. Pan fydd hwn yn sych, rwy'n defnyddio Paent Celf Gwydr Marabu i beintio'r blodau a'r dail.
4. Yna, gadawaf y paentiad i sychu'n llwyr, cyn ei hongian ar wal.

Cofiwch gadw'ch paentiad yn fflat bob amser wrth weithio ar yr amlinelliadau a'r paentiad gwydr.

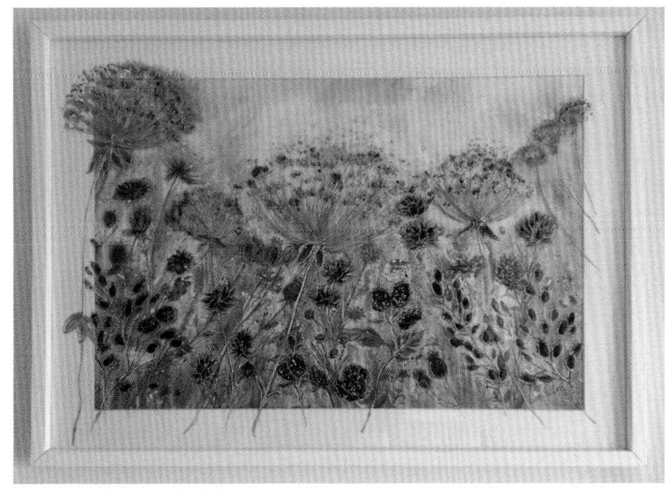

Gwaith Gwydr
Caryl Roese

Cangen Caerdydd, Rhanbarth y De-ddwyrain

Dechreuais fynd i wersi gwydr lliw (*stained glass*) yn rhan amser ar ôl fy ymddeoliad. Dwi'n cael pleser mawr yn gweithio gyda gwydr.

I ddechre, mae'n rhaid cael y tŵls iawn i fynd ati: peiriant malu, ffan, haearn sawdurio/sodro, sawdur (*solder*), a phob math o wydr.

Mae gwydr lliw yn ddrud iawn! Nid wyf byth yn gwneud cynllun o'r hyn dwi'n gobeithio ei greu – fe wela i ddarn o wydr ac wedyn dwi'n edrych am liw i fynd gyda fe, neu siâp. Dyna sut mae'r darn yn tyfu. Dwi'n torri'r gwydr fy hunan, wrth gwrs. Y peth anoddaf ydi sawdurio neu sodro, ac mae'n rhaid ymarfer llawer er mwyn bod yn fodlon â'r cynnyrch.

Cloc Botwm
Margaret Williams

Cangen Abernant, Rhanbarth Caerfyrddin

I wneud y cloc hwn, defnyddiais fotymau wedi eu gorchuddio, a botymau Dorset. Roedd gwneud botymau yn sicrhau incwm i lawer o bentrefi yn Dorset rhwng 1600 a 1800. Byddai cyrn defaid yn cael eu torri'n gylchoedd ac edau yn cael ei ddefnyddio i'w gorchuddio, a defnyddid gwahanol ddulliau o frodio i greu patrymau arnynt.

Gwehyddu Gleiniau
Celia Watkins

Cangen yr Wyddgrug, Rhanbarth Glyn Maelor

Gwehyddu gleiniau yw'r term cywir ar gyfer y grefft hon.

Mae cannoedd o leiniau bychan i'w cael o bob siâp, maint a lliw. Y rhai mwyaf poblogaidd yw gleiniau hadau, delica a biwgl. Mae hefyd amryw o bwythau i'w huno: pwyth brics, pwyth syth, peyote, herringbone, gwehyddu ciwbig ongl sgwâr, a llawer mwy. Mae'r mwclis yn cael eu gwnïo at ei gilydd gyda nodwydd arbennig ar gyfer gleiniau mân, ac edafedd arbennig fel Nymo D neu SoNo.

Gweithiwyd y mwclis blodau hwn mewn pwyth bric gyda gleiniau hadau maint 11 gan ddefnyddio 3 gwahanol arlliw o borffor. Mae'r 5 blodyn mawr a'r 2 flodyn bach yn cael eu gweithio ar wahân, a gwneir set arall o flodau llai i ffitio ar ben y lleill i greu effaith ryffl. Ffurfir 5 petal o amgylch cylch o leiniau i greu'r blodau, gan ddefnyddio'r lliw tywyllaf yn y canol. Mae'n bwysig cadw'r un tensiwn drwyddi draw. Mae'r holl flodau wedi'u huno, a gosodir crisial Swarovski yng nghanol pob un.

Mae'r gadwyn yn cael ei gwneud drwy ddefnyddio pwyth troellog tri dafn (*3 drop spiral*). Mae'r lliw craidd, y lliw tywyllaf, yn rhedeg drwyddo a grwpiau o dri glain mewn lliw ysgafnach yn amgylchynu'r canol. I orffen, rhoddir y gadwyn yn sownd yn y blodau, ac ychwanegir clasp i'w chau.

Carw Coch

Mae'r llun hwn o garw coch wedi'i wneud gyda 7,200 o leiniau Miyuki Delica maint 11. Defnyddiais bwyth syth a 21 o wahanol liwiau, a chymerodd 9 mis i'w gwblhau.

Os ydych am roi tro ar y grefft, mae pecynnau ar gael ar-lein sy'n cynnwys lluniau a chyfarwyddiadau ysgrifenedig, yr holl leiniau, y nodwydd a'r edau. Mae fideos sy'n egluro sut i wneud y pwythau amrywiol i'w gweld ar-lein hefyd. Mae siopau yn Arberth, Caerdydd a Chroesoswallt sy'n gwerthu ystod eang o offer ac yn trefnu cyrsiau.

Mwclis
Elen Davies

Penygroes, Caernarfon

’Nôl yn Ebrill 2019, ychydig ar ôl i’r wal Cofiwch Dryweryn gael ei fandaleiddio a’r stori yn amlwg ar y newyddion, penderfynais wneud cadwyn i mi fy hun efo’r geiriau ‘Cofiwch Dryweryn’ arni gyda rhai o ddefnyddiau crefft y plant. Rhoddais lun ohonof yn gwisgo’r gadwyn ar Facebook, ac o fewn dim roeddwn i’n cael ceisiadau o bob man yn gofyn a oedd modd prynu’r gadwyn.

O ganlyniad, penderfynais wneud mwy i’w gwerthu, a rhoi’r elw i Ambiwlans Awyr Cymru. Ar ôl rhai misoedd o werthu ledled Cymru llwyddais i gasglu £2,800 drwy wneud y cadwyni a chylchau allweddi Cofiwch Dryweryn (gyda chymorth y genod, Lois a Moli).

Yn ystod y cyfnod clo cyntaf penderfynais fy mod eisiau cyrraedd £3,000, felly er mwyn casglu’r £200 arall es ati i wneud mwy o gadwyni, ond rhai â phatrwm enfys arnynt y tro hwn, a’r gair ‘Gobaith’. Yn ogystal, mi wnes i adael i’r genod dorri fy ngwallt i godi arian, a chynnal ambell raffl. Drwy hyn, casglwyd cyfanswm o £4,000 i Ambiwlans Awyr Cymru.

Mi wnes i gadwyni yn anrhegion i rai o fy ffrindiau oedd yn gweithio i’r GIG, ac i weithiwr mewn cartref preswyl ym Mhenygroes, fel arwydd o ddiolch iddynt am eu gwaith caled dros gyfnod anodd.

Wyau Fabergé
Mary Lewis

Cangen Carno, Rhanbarth Maldwyn

Dechreuais addurno wyau drwy efelychu'r arddull Fabergé yn yr 80au pan enillais ysgoloriaeth gan Sefydliad y Merched i fynd i Goleg Denman yn Rhydychen, lle dewisais ddysgu'r grefft. I ddechrau, dysgais addurno wy gŵydd a oedd wedi cael ei chwythu. Yn gyntaf, rhaid mynd ati i farcio patrwm ar y plisgyn, ac yna torri darnau allan ohono gyda dril crefft gan ddefnyddio disg bach (rhaid gwisgo mwgwd rhag y llwch). Mae hon yn broses ddelicet iawn. Mynd ati wedyn i baentio'r wy gyda phaent di-sglein (*matt*) – mae angen tair neu bedair haen denau ohono, gan ofalu bod y paent yn sychu rhwng pob haen.

Y cam nesaf yw gludo colyn bach (*hinge*) ar un darn o du mewn yr wy, a gludo defnydd sidan i orchuddio'r hanner hwn o'r wy. Yna, gwneud yr un fath gyda hanner arall yr wy – rhaid bod yn hynod o ofalus wrth ludo'r colyn ar y darn hwn, fel ei fod yn agor a chau yn berffaith. Wedi i'r cyfan sychu, rhaid peintio'r wy gyda deunydd selio (dwi'n defnyddio Duncan matt/pearl sealer) a bydd angen tair haen, gan wneud yn siŵr fod pob haen yn sychu. Gellir mynd ati wedyn i addurno'r wy trwy ei beintio neu roi *transfers* arno – proses araf y mae angen gofal efo hi.

Rwyf wedi addurno wyau estrys hefyd – cefais ddau neu dri wy gan un oedd yn cadw estrys mewn pentref cyfagos, ond gallwch eu harchebu wedi eu chwythu yn barod. Gan fod plisgyn wy estrys yn drwchus, mae'n rhaid defnyddio disg eithaf cryf gyda'r dril crefft i'w dyllu.

Rwyf wedi addurno dros hanner cant o wyau dros y blynyddoedd, ac addurnais bedwar yn ystod y cyfnod clo. Mae'n rhaid cael yr offer cywir i fedru gwneud wyau dull Fabergé, felly mae hon yn grefft gostus.

Ailgylchu ac Uwchgylchu

AILGYLCHU AC UWCHGYLCHU

Mae ailgylchu ac uwchgylchu wedi bodoli mewn gwahanol ffyrdd erioed, ond mae'r rhesymau dros wneud wedi newid dros y canrifoedd. Mater o raid oedd y prif reswm flynyddoedd yn ôl, ond erbyn heddiw, y prif reswm mae pobl yn ymddiddori ynddo yw er mwyn gwarchod yr amgylchedd a'r blaned. Mae diddordeb mewn cynaladwyedd a'r amgylchedd yn dylanwadu ar y modd mae pobl yn siopa – mae nifer cynyddol bellach yn siopa mewn siopau elusen a siopau ail law.

Bu dogni ar ddillad yn ystod yr Ail Ryfel Byd, a ddaeth hynny ddim i ben pan orffennodd y Rhyfel yn 1945. Roedd yr ymgyrch Gwell Clwt na Thwll, sef *Make Do and Mend*, yn annog pobl i drwsio ac ailgylchu dillad, ac i uwchgylchu dillad a dodrefn.

Bag
Beryl George

Cangen Capel Newydd, Rhanbarth Penfro

Dechreuais grefftio yn 10 oed, a dysgodd Mam fi i ddilyn patrwm crosio yn 1967. Roeddwn yn cofio sut i wneud crosio dwbl, sef *double crochet*, drwy ysgrifennu 'ma's', 'mewn' a 'ma's' wrth ochr DC ar y patrwm. Dechreuais ddysgu crosio i eraill yn 1995 ac rwyf yn dal i gynnal gwersi yn wythnosol yn fy nghartref.

Pan oeddem yn byw ar fferm roedd yn rhaid ailgylchu a pheidio â gwastraffu dim, felly byddem yn tynnu'r llinyn bant wrth agor sach o bowdwr llaeth i'r lloi bach, a'i ddefnyddio i grosio bagiau. Defnyddiais un o'r bagiau i fynd i briodas oherwydd roeddwn hefyd wedi crosio top o'r un llinyn!

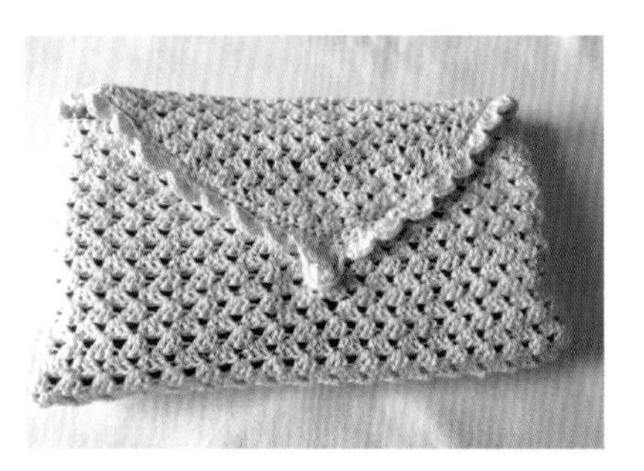

"Mae gen i beth wmbredd o addurniadau coeden wedi eu gwneud gan ddefnyddio top poteli llaeth a rhuban sbâr. Mae nifer o'r rhain wedi eu rhoi i godi arian at achosion da."

Elizabeth Evans, Cangen Talybont

Bagiau/Bowlenni
Llinos Roberts

Cangen Henllan, Rhanbarth Colwyn

I wneud bag neu bowlen, bydd angen:
Darn o lein ddillad heb weiar yn mynd drwy'r canol (hyd i ddibynnu ar faint y fasged)
Defnydd wedi ei dorri tua 1" o led, ac o unrhyw hyd
Peiriant gwnïo i bwytho

1. I baratoi, mae eisiau lapio defnydd sydd wedi ei dorri i tua 1" o led o amgylch y lein ddillad. Gellir dal pen y lein a'r defnydd yn ei le gyda pheg dillad, i'w atal rhag agor cyn i chi gychwyn.
2. Peidiwch â phoeni os nad ydi'r defnydd yn ddigon hir i wneud bag / bowlen o'r maint rydych chi am ei gael – mae modd i chi ychwanegu darnau ychwanegol o ddefnydd wrth fynd.
3. I ddechrau, rhaid creu gwaelod y fasged. I wneud hyn, mae angen troi'r lein ddillad i wneud cylch. Gan gadw'r defnydd yn dynn a defnyddio pwyth sig sag gweddol fawr ar eich peiriant gwnïo, rhaid pwytho wrth fynd, gan wneud yn siŵr fod y nodwydd yn mynd drwy haenau'r defnydd er mwyn cadw'r cylch yn sownd yn ei gilydd. Wrth bwytho rhaid cadw'r gynffon ar yr ochr dde i chi – mae hyn yn angenrheidiol er mwyn i chi allu dal i bwytho a throi ar yr un pryd. Daliwch i bwytho nes bydd y cylch yn ddigon mawr i wneud gwaelod basged neu bowlen.
4. Er mwyn creu'r ochrau rhaid cadw nodwydd y peiriant i lawr yn y defnydd, yna rhoi eich llaw o dan y cylch a'i godi i fyny hyd at ochr y peiriant. Daliwch i bwytho nes y byddwch wedi creu'r maint angenrheidiol. I orffen, dewch â gweddill y defnydd (sydd heb lein ynddo) i'r canol a'i droelli'n dynn – mae hyn yn ei gwneud yn fwy hwylus i chi allu gweithio'r defnydd i ochr fewnol y bowlen, gan ddal i bwytho sig sag. Dylai hyn greu gorffeniad taclus i'r gwaith.

Bag Boro
Eirlys Savage

Cangen Llanelwy, Rhanbarth Colwyn

Dyma fag o waith Boro. Dull Siapaneaidd yw hwn o drwsio dillad - dwi wedi defnyddio'r dechneg hon i drwsio twll ym mhoced ôl jîns y gŵr. Roedd yn lliwgar iawn!

Uwchgylchu Cadeiriau
Sue Hughes

Cangen Peniel, Rhanbarth Caerfyrddin

Mi fydda i'n gweithio yn y gegin pan fyddaf yn uwchgylchu gan ei bod yn hawdd mynd allan pan fo angen chwistrellu'r paent.

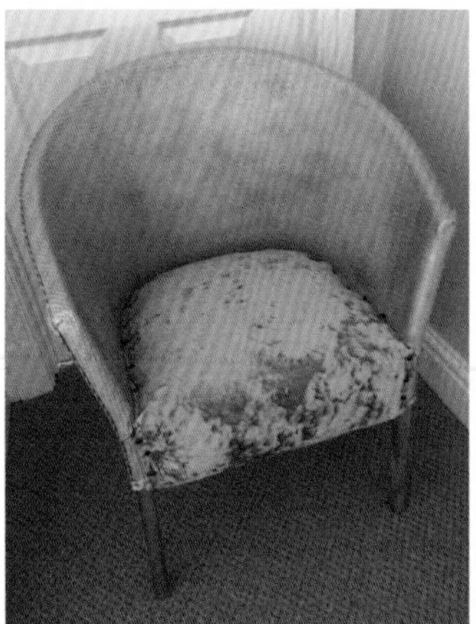

Troi ponsio yn glustog
Delyth Jones

Cangen Penrhyn-coch, Rhanbarth Ceredigion

Doeddwn i ddim yn defnyddio'r ponsio mwyach, er mai fi oedd wedi ei wau yn y lle cyntaf. Penderfynais ei dynnu oddi wrth ei gilydd ac ailddechrau – y rheswm pennaf am wneud hyn oedd bod y gwlân yn ddrud, ac fel Cardi roeddwn yn gweld gwerth mewn ail-greu ac uwchgylchu. Roedd gen i sawl pellen o wlân ar ôl datod y ponsio, felly fe es ati i wau clustog o'r newydd. Penderfynais gau'r pedair ochr, ac mae'r un patrwm ar y ddwy ochr.

Matiau o gordyn bêls
Beryl George

Cangen Capel Newydd, Rhanbarth Penfro

Dyma enghraifft o grefft wledig ac uwchgylchu, sef mat wedi'i greu o gordyn bêls.

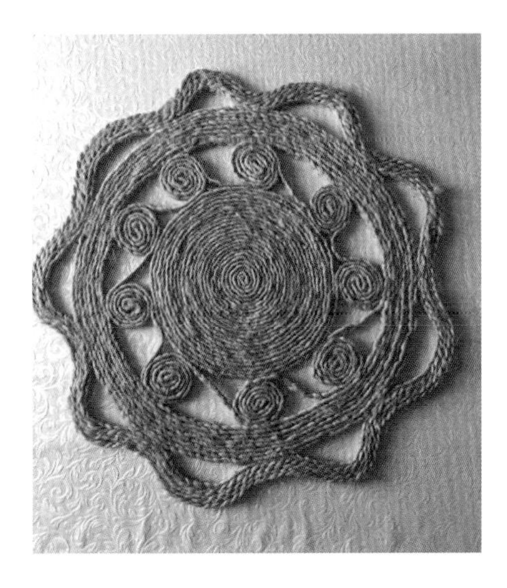

Matiau Rhacs
Eiry Ladd Lewis

Cangen Trefdraeth, Rhanbarth Penfro

Y cof cyntaf sydd gyda fi o wneud mat rhacs wedd pan o'n i'n blentyn yn y pedwardegau hwyr, a Mam a Mam-gu yn dod ma's â'r bocs defnydd o'r sgiw ar bwys y tân. Roedd pob tamaid o ddefnydd yn cael ei gadw, lan i'r darn bach lleia.

Roedd Mam-gu yn cofio dysgu'r grefft pan oedd yn blentyn ar ôl y Rhyfel Byd Cyntaf, a byddai'n sôn bod y defnydd bryd hynny yn ddi-liw ac yn *drab*, ond erbyn y pedwardegau roedd cotwm yn fwy cyffredin ac ambell frat blodeuog yn ychwanegu at olwg y mat.

Sach bwyd y ffowls fydde sylfaen y mat. Dwi'n dal i ddefnyddio'r bachyn fydde gan Mam, ond dwi hefyd wedi prynu rhai newydd wrth grefftwr yn Iwerddon.

Mae hi mor bwysig ein bod ni'n cadw'r hen grefftau hyn ac yn rhoi slant fodern i rai o'r darnau. Mae'r atgofion sydd gen i o weithio gyda'n gilydd ar nosweithiau'r gaeaf o flaen tanllwyth o dân, yn paratoi darnau o ddefnydd, yn aros yn y cof hyd heddiw. Gobeithio bydd y cenedlaethau i ddod yn cael yr un pleser. Y grefft berffaith ar gyfer ailgylchu!

"Rydw i wedi creu ambell faner, golygfeydd ar gyfer dramâu/ pantomeims, mapiau, darnau barddoniaeth mewn italic, cwiltio, addurno dodrefn, creu cardiau dathlu, uwchgylchu ac yn y blaen."

Christine Charlton, Cangen Felinfach a'r Cylch

Ffedog Merched y Wawr
Bethan Picton Davies

Cangen Ffynnongroes, Rhanbarth Penfro

Un o gystadlaethau Sioe Rithiol Merched y Wawr 2021 oedd ailgylchu neu uwchgylchu. Roedd angen anfon dau lun i ddangos yr eitem wreiddiol a'r eitem orffenedig, a dyma sut y gwnes i droi jîns yn ffedog.

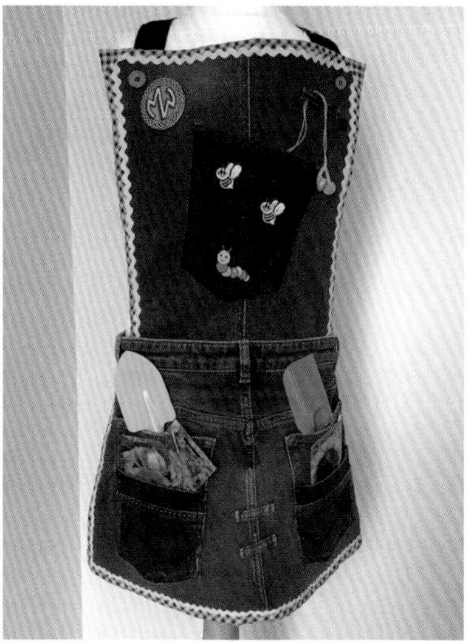

Yr Wyddor
Gwen Beetham

Cangen Llandudoch, Rhanbarth Penfro

Rwyf wedi gwneud cwilt o'r wyddor i'w roi ar y wal, wedi ei wneud yn gyfan gwbl allan o ddefnydd oedd gen i yn y tŷ. Wnes i ddim prynu dim yn newydd – ailgylchu ar ei orau!

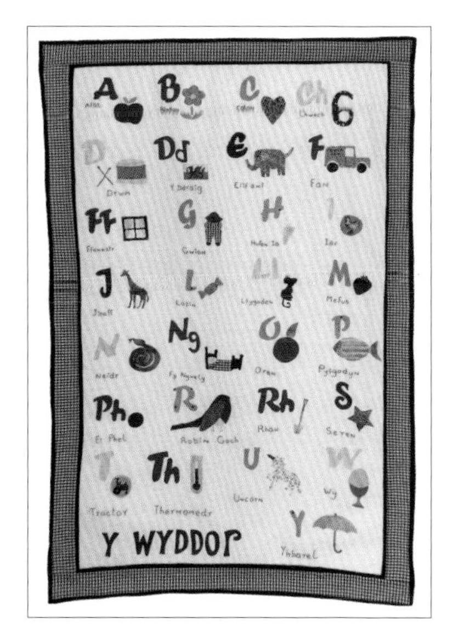

Troi crys yn bot blodau
Anwen Hughes

Cangen Prestatyn, Rhanbarth Colwyn

Mi ges i'r syniad o greu'r potyn ar ôl gweld gwaith llaw tebyg yn siop Oxfam, wedi'u greu gyda phapur yn hytrach na defnydd. Dechreuais chwilio am ddilledyn lliwgar, ac mi ffeindiais i grys polo perffaith o liw porffor gyda darnau o ddefnydd cotwm streipiog ar y goler a'r llewys. Mi gostiodd £1 i mi o siop elusen Barnardo's.

Roedd gen i syniad o sut ro'n i eisiau i'r pot i edrych, felly mi es ati i arbrofi gyda gwahanol dechnegau – yr un oedd yn gweithio orau oedd torri'r defnydd yn stribedi tua 2cm o led, rhoi tro ar eu hyd a gwnïo pwyth sig sag i'w dal at ei gilydd a chreu tiwbiau.

Ar ôl gorffen creu'r tiwbiau roedd yn rhaid creu sylfaen i'r pot trwy rolio'r tiwbiau'n fflat, a'r ochrau yn agos at ei gilydd, i greu 'plât' trwy wnïo'r sig sag i'w cadw yn eu lle. Wedyn, roedd yn rhaid creu siâp y llestr trwy adeiladu'r waliau nes yr oedden nhw y maint ro'n i eisiau.

I orffen, mi wnes i rwymiad o gwmpas yr ymyl gyda'r cotwm streipïog, ac am fod y botymau mor ddel gosodais y rhain, a'r addurn oedd ar y llewys, ar flaen y potyn.

Uwchgylchu ril
Olwen Davies

Cangen Bro Tryweryn, Rhanbarth Meirionnydd

Syniad fy wyres oedd uwchgylchu ril, er mwyn datblygu ac ychwanegu lliw i'r ardal tu allan i'w dosbarth yn yr ysgol.

Cawsom y ril gan berchennog siop oedd eisiau cael gwared ohoni, a bûm yn brysur gyda pheiriant sandio yn ei pharatoi ar gyfer ei pheintio. Rhoddais ddwy gôt o baent arni, wedyn peintio'r top yn goch gyda smotiau gwyn i greu effaith caws llyffant. Gwnes lun drws ar yr ochr, a defnyddio paent gwyrdd i gyfleu glaswellt ar y gwaelod.

Roedd plant ysgol wrth eu boddau yn chwarae gyda'u teganau ar y bwrdd lliwgar newydd, yn ôl fy wyres.

Cadair a Sied
Dawn Williams

Llanrug

Mae creu celf yn ofnadwy o bwysig a phersonol i mi.

Troi côt yn fag
Elisabeth Peate

Cangen Golan, Rhanbarth Dwyfor

Rwy'n hoff iawn o amrywiaeth eang o waith gwnïo, ac yn dipyn o wiwer – yn cadw pob math o sbarion defnyddiau. Dydw i ddim yn hoff o gael gwared ar ddillad, 'rhag ofn'. Byddaf yn gweld gwerth yn y defnydd ac yn meddwl tybed allwn i wneud rhywbeth arall efo fo.

Roedd côt law gan y ferch nad oedd ei hangen bellach. Roedd yn ddefnydd da, yn dal dŵr, ac felly penderfynais y byddai'n addas i wneud bag cerdded. Y dasg wedyn oedd torri patrwm y bag allan o ddarnau gorau'r gôt. Bu'n dipyn o waith jyglo! Yna, gwnïo'r cwbl efo'i gilydd gyda'r peiriant – llwyddais i ailddefnyddio ambell zip hefyd!

Defnyddiais rywfaint o leinin y gôt a sbarion defnyddiau eraill y tu mewn i'r bag, sydd â sawl rhan iddo, a nifer o bocedi gwahanol. Mae pocedi â zip ar y tu blaen, y tu mewn ac ar y cefn, a phocedi i ddal cardiau neu basbort hefyd y tu mewn. Gellir newid y strap i wisgo'r bag dros yr ysgwydd dde neu'r chwith, gan fod dolenni ar waelod y bag i glipio'r strap iddyn nhw.

"Dwi bob amser yn cael ysbrydoliaeth trwy ymweld â'r arddangosfa grefftau elusennol yn Eglwys Gresford bob blwyddyn. Hefyd, dwi'n cael pleser mawr o bori trwy lyfrau crefft am syniadau newydd."

Celia Watkins, Cangen yr Wyddgrug

Gorchudd Llyfr
Janet Catrin James

Cangen y Felin, Rhanbarth y De-ddwyrain

Fel un sy'n hoff iawn o weithio gyda thecstiliau, o gwiltiau a chlustogau i ffeltio a lluniau tecstil (*mixed media*), mae gen i wastad 'sbarion' o ddefnydd ac edau. Falle mai'r peth callaf fyddai eu taflu er mwyn cadw'r ystafell wnïo yn dwt, ond dwi'n hoffi creu ac ailgylchu pethau, felly dyma ddechrau casglu'r edau a'r darnau o ddefnydd mewn potiau bychain. Un o'm hoff gynllunwyr tecstilau yw Kaffe Fassett, oherwydd mae ei gynlluniau wastad yn llawn lliw, a dwi wrth fy modd yn defnyddio'i gynlluniau mewn cwiltiau, felly mae'r pot sbarion yn fôr o liw.

Dwi'n ailgylchu'r darnau bychan i greu darn o 'ddefnydd' newydd. I wneud hyn mae angen darn o ffelt, o faint addas i'r prosiect, darn o organsa a llond pot o ddarnau o edau a ffabrig lliwgar. Ar ôl gwasgaru'r edau a'r darnau bychain o ddefnydd ar draws y ffelt, mae angen gorchuddio'r cyfan gydag organsa... ac wedyn mae'r hwyl yn dechrau! Dwi'n cwiltio'n rhydd (*free motion quilting*) gan ddefnyddio edau sgleiniog, liwgar. Mae hyn yn trawsnewid y darn, a'r canlyniad yw darn o ddefnydd newydd.

Gellir creu pob math o eitemau gan ddefnyddio'r ffabrig a grewyd. Gan fy mod yn defnyddio llyfrau bach neu *journals* i gadw cofnod o waith crefft, dwi'n hoffi creu cloriau llyfrau lliwgar a brodio geiriau ar y clawr blaen i ddynodi cynnwys y llyfr, neu efallai enw y derbyniwr os mai anrheg ydyw.

Arlunio, Peintio a Ffotograffiaeth

Argraffu Leino
Llinos Owen Evans

Cangen y Foel a Llangadfan, Rhanbarth Maldwyn

Yn ddiweddar rwyf wedi bod yn gwneud argraffiadau leinio i'r wyrion i addurno eu llofftydd – anifeiliaid ac adar bob lliw am dipyn o hwyl! Mae gen i ystafell bwrpasol yn y tŷ i wneud y gwaith, ond yn y sied mae'r torrwr fframiau!

Pan oeddwn yn ddisgybl yn yr ysgol (amser maith yn ôl) roeddwn wrth fy modd yn creu argraffiadau leino, ond yn anffodus doedd dim amser gen i tra oeddwn yn magu teulu ac yn dysgu i barhau gyda'r diddordeb. Ers i mi ymddeol rwyf wedi ailddechrau.

Mae'n bosib prynu pob math o inciau ar gyfer y leino, ond gwneir fy hoff un gan y cwmni Cranfield. Rhyw fath o inc olew ydyw, ond yn glanhau fel inc sy'n golchi gyda dŵr. Rwy'n ei hoffi oherwydd dyfnder y lliw a'r sglein sydd ar yr argraffiad terfynol.

PEINTIO

Haul wedi'r glaw
Delyth Rees

Cangen Bro Ddyfi, Rhanbarth Maldwyn

Peintiwyd y llun hwn cyn y clo a'r Covid. Roeddwn yn gweld golygfa debyg i hon drwy fy ffenestr pan oeddwn yn byw yn Llangadfan, felly darlun o'r cof ydyw.

Roedd Taid yn magu gwartheg duon Cymreig, a dwi'n ei gofio yn eu dangos mewn sioeau. Roedd bywyd yn anodd pan oedd y glaw yn disgyn, ac yn llawer haws a hapusach pan fyddai'r haul yn gwenu, felly ro'n i'n teimlo bod angen cyfleu'r ddau fath o dywydd yn y llun hwn.

Acrylic ar gynfas ydi hwn. Dwi wedi defnyddio sawl math o gyfrwng yn y gorffennol, ond mae acrylic yn sychu'n gynt. Fy ysbrydoliaeth pan oeddwn yn astudio ar gyfer Lefel A oedd fy athro, Hywel Harries, ac fe es i ymlaen i astudio arlunio yn y Coleg Normal fel rhan o'r cwrs i fod yn athrawes – pedwar yn unig oedd yn dilyn y cwrs arlunio ar y pryd.

"Mae llawer o fy ngwaith yn cael ei greu i gystadlu mewn sioeau lleol neu gystadlaethau Merched y Wawr. Mi gefais ail hefo cas llyfr yn y Sioe Frenhinol a dwi wedi ennill sawl gwobr mewn sioeau lleol."

Margiad Davies, Cangen Bro Tryweryn

Mynyddoedd
Eirlys Roberts Jones

Cangen Corwen, Rhanbarth Glyn Maelor

Byddaf yn cario'r iPad efo fi weithiau pan fyddaf yn mynd am dro, oherwydd mae'r syniad o dynnu lluniau o'r ardal yn fy nghymell i fynd allan yn amlach. Dyma olygfa y byddaf yn mwynhau edrych arni ger fy nghartref. Gellir gweld mynyddoedd y Berwyn yn y pellter, sy'n ein hamgylchynu. I'r chwith mae pentrefi Cynwyd, a Llandrillo. Heb yn wybod imi, roeddwn yn edrych ar y fferm lle tyfais i fyny, yn uchel i fyny uwch lefel y môr, o'm gardd! Byddai Mam yn gosod cynfas wen ar y lein ddillad uwchben y tŷ fel arwydd ein bod adref, gan nad oedd ffôn yn nhai pobl gyffredin bryd hynny!

Rhyw ychydig flynyddoedd sydd ers imi orffen y llun yma, sydd ar gynfas. Yn rhyfedd iawn, er nad wyf yn hoff o ddefaid o gwbl, rwy'n hoff o edrych arnynt, ac mae'n rhaid i mi gynnwys defaid neu wartheg mewn tirlun. Rwy'n cael fy ysbrydoliaeth o fyd natur, wythnos ffasiwn Llundain a thrwy edrych ar waith artistiaid enwog.

Amrywiol
Lon Owen

Cangen Bro Pantycelyn, Rhanbarth Caerfyrddin

Rwyf wedi bod yn arlunio ers tuag ugain mlynedd. Roedd gennyf ddiddordeb mawr mewn arlunio pan oeddwn yn ifanc iawn, ac yn ddiweddarach roeddwn yn mwynhau ymweld ag orielau celf. Dysgais drwy fynd ar gyrsiau arlunio er mwyn cael profiad o ddefnyddio gwahanol gyfryngau fel olew, dyfrlliw, pastel ac acrylig – roedd yn braf cael cwrdd â phobl oedd yn rhannu'r un diddordebau, a chael cyfle i gyfnewid syniadau.

Byddaf yn cael fy ysbrydoliaeth wrth grwydro'r wlad a'r arfordir – gweld y môr yn lapio'i hun dros y creigiau, neu weld yr haul a'r cymylau yn creu patrymau lliwgar ar y bryniau. Byddaf yn tynnu llun neu wneud sgets o'r olygfa, ac yna'n mynd ati yn fy ystafell arlunio gartref i'w droi yn llun. Y profiad personol sy'n dod i mi pan rwy'n arlunio yw'r profiad o ymlacio'n llwyr a cholli pob ymwybyddiaeth o amser. Mae'r wyrion a'r wyres wrth eu boddau yn cael paent a brwsh yn eu dwylo, ac yn dyheu am gael gwersi gan Mam-gu. Ar adegau arbennig fel y Nadolig byddaf yn arlunio cerdyn Nadoligaidd i'w rhoi i deulu a ffrindiau, ac rwyf wedi bod yn lwcus sawl gwaith i ennill cystadleuaeth dylunio cerdyn Nadolig Merched y Wawr.

Llun o'r Preseli gyda chofeb Waldo yn ganolbwynt: Mae'r ardal hon yn rhan ohonof gan fy mod wedi fy ngeni nid nepell o'r lle. Roedd gweld mynyddoedd y Preseli yn adlewyrchu'r golau'n hudol y diwrnod arbennig hwn yn brofiad ysgytwol, a chofiais linellau bythgofiadwy Waldo; 'Foel Drigarn, Carn Gyfrwy a Thal Mynydd, Wrth fy nghefn ym mhob annibyniaeth barn'.

Llun y Boathouse yn Nhalacharn: Cefais wahoddiad i gyfrannu llun i arddangosfa arbennig yng Nghaerfyrddin i gofio am Dylan Thomas. Pan welodd fy ngŵr y llun yr oeddwn wedi ei beintio (sef y llun hwn o dŷ Dylan Thomas yng ngolau'r lleuad) roedd yn awyddus iawn i sicrhau na fyddai'n cael ei werthu, a mynnodd ei brisio'n uchel. Cawsom sioc pan aethom i gasglu'r llun – roedd nid yn unig wedi ennill gwobr Dewis y Bobl, ond hefyd wedi cael ei werthu!

Rwyf wedi cael nifer o gomisiynau. Un ohonynt oedd cais gan Bwyllgor Gefeillio tref Llanymddyfri i beintio golygfa o ganol y dref i'w gyflwyno i'r efeilldref ar achlysur dathlu pum mlynedd ar hugain o efeillio. Mae llun o'm gwaith yn cael ei gyflwyno i siaradwr gwadd y Cylch Cinio lleol bob mis.

Rwyf wedi cystadlu mewn nifer o arddangosfeydd ac wedi ennill sawl gwobr, yn cynnwys Tlws Coffa Edith Lodwick a Thlws Coffa John Hutchins. Rwyf hefyd wedi ennill nifer o wobrau Dewis y Bobl, a hynny sy'n dod â'r mwyaf o fwynhad i mi.

Darlun Inc
Angharad Rees

Wrecsam

Bu eistedd i lawr i ddarlunio yn help mawr i mi gyda fy iechyd meddwl yn ystod y cyfnod clo. Mae'r lluniau hyn yn esiampl o Zentangling – ffordd hawdd iawn o greu lluniau drwy ddefnyddio cylchoedd a phatrymau sydd â strwythur iddyn nhw, gan adael i'ch llaw ymlacio a mynd i unrhyw le ar y papur. Cafodd y dull hwn ei greu gan ddau o Massachusetts yn yr Unol Daleithiau yn 2003, ac mae wedi dod yn ffordd boblogaidd iawn o ymlacio a deffro'r dychymyg. Mae gwefan Zentangle.com yn egluro'r cyfan, os ydach chi am roi tro arni.

Llyn Tegid
Nia Davies

Cangen Bro Tryweryn, Rhanbarth Meirionnydd

Dyma enghraifft o gyfuno dwy grefft, sef peintio yn gyntaf ac yna pwytho gan ddefnyddio peiriant i greu effaith tri dimensiwn. Enw'r llun hwn yw 'Llyn Tegid ym Mro Tryweryn'.

Peintio sidan a phwytho
Jen Morris

Cangen Tregarth, Rhanbarth Arfon

Y goeden unig, Llyn Padarn, Llanberis.

Ar ôl dewis testun i'r llun, byddaf yn mynd ati i ddarlunio a chreu llun wedi ei symleiddio o'r ddelwedd wreiddiol. Byddaf yn mynd dros y llun gyda pìn ffelt ddu, a gosod yr amlinelliad oddi tan sidan ar ffrâm.

Y cam nesaf yw defnyddio Gutta (sylwedd tew wedi'i wneud o rwber) i greu amlinelliad o'r llun ar y sidan. Mae'r Gutta yn creu math o ffrâm drwchus sy'n atal y lliwiau gwahanol o baent rhag cymysgu. Byddaf yn peintio'r llun gyda phaent arbennig ar gyfer peintio sidan, gan roi halen neu alcohol yn y paent weithiau, i greu effaith.

Ar ôl i'r cyfan sychu, gellir smwddio a golchi'r gwaith, ac yn olaf byddaf yn defnyddio edau sidan i ychwanegu gwead, lliwiau neu fanylion i'r llun.

Os ydych chi am roi tro arni, byddwch angen sidan, Gutta, paent arbennig i beintio sidan, edau sidan DMC, ffrâm bren i weithio arni, brwsh paent a phalet cymysgu. Mae'r holl ddeunyddiau ar gael ar y we – mae gwefan Jackson Art Supply neu Amazon yn dda – neu siopau crefft.

"Dwi wedi crefftio ers pan oeddwn yn blentyn bach - dysgu gwnïo yn yr ysgol fabanod a dysgu gwau gan fy nhad. Tyfais i fyny mewn awyrgylch lle roedd pwyslais ar grefft gwaith llaw."

Rhian Williams, Cangen Bryncroes

Peintio ar Wal
Elin Cullen

Clwb Gwawr y Gwendraeth, Rhanbarth Caerfyrddin

Pan wnes i ymddeol ar ôl gyrfa lwyddiannus mewn llywodraeth leol, o'r diwedd roedd yn bleser cael amser i ddilyn fy niddordeb mewn celf a chrefft.

Dros y blynyddoedd rwyf wedi arbrofi gyda sawl math o gelf, ac wedi datblygu angerdd am leoliadau botanegol anffurfiol.

Rwy'n aelod gydol oes o Ardd Fotaneg Genedlaethol Cymru, ac yn ymweld â Gerddi Kew yn aml. Mae fy ngardd yn llawn planhigion yr wyf yn eu defnyddio'n aml i f'ysbrydoli wrth beintio yn fy stiwdio ym Mhont-iets yng Ngwm Gwendraeth. Does dim byd yn rhoi mwy o bleser i mi na chlywed sŵn peillwyr o'm cwmpas pan fyddaf yn datblygu murlun gardd mewn lleoliad hyfryd.

Isod mae llun o fy murlun o Flodau Haul. Dechreuais drwy sicrhau fod y wal yn lân ac yn llyfn trwy ei brwsio i lawr gyda brwsh weiren. Wedyn, defnyddiais sialc i greu 'ffrâm' i'r murlun.

Gyda phaent acrylig, dechreuais beintio glas a gwyn ar gyfer yr awyr, gan ddefnyddio sawl haen. Wedyn, cymysgais baent gwyrdd a melyn i greu gwahanol arlliwiau'r tir, eto, mewn nifer o haenau.

Peintiais y coed gan ddefnyddio'r broses stiplo, mewn lliwiau amrywiol o wyrdd a brown i greu'r effaith gywir.

Yn olaf bu i mi droi at beintio'r blodau haul, drwy gymysgu paent cadmiwm melyn a gwyn, gan ddefnyddio arddull sydd yn fanwl yn y blaen ac yn fwy syml ac ysgafn yn y pellter.

Ar ôl ei gwblhau, gadewais i'r murlun sychu cyn rhoi côt o farnais cwch iddo.

Mae fy hobi wedi rhoi cymaint o fwynhad i mi, ac edrychaf ymlaen at fy mhrosiect nesaf, beth bynnag fydd hwnnw!

Llestri Ynysmeudwy
Esyllt Jones

Cangen Gorseinon, Rhanbarth Gorllewin Morgannwg

Ar gyfer arddangosfa yn Sioe Frenhinol Cymru yn 2009 y bûm yn creu'r gwaith hwn. Roedd Morgannwg yn noddi'r Sioe y flwyddyn honno ac roedd angen arddangosfa yn ymwneud â'r sir, a phenderfynwyd canolbwyntio ar y llestri a'r crochenwaith unigryw a wnaed yn y gwahanol leoliadau ym Morgannwg yn y gorffennol – mae'r rhain o ddiddordeb mawr i gasglwyr bellach ac yn gain iawn. Cafwyd sawl math o waith celf i ddarlunio'r llestri yn yr arddangosfa gan gynnwys decoupage, crochenwaith, cwiltio, arlunio, peintio a ffotograffiaeth.

Cefais fenthyg llun o gwpan a soser o eiddo Phillip Jones sydd yn arbenigo ar waith a llestri Ynysmeudwy ac ymgeisio wedyn i ddilyn y patrwm hwnnw drwy ddefnyddio paent a phwyth i arddangos y patrwm glas a gwyn cain 'Waternymph' sy'n dyddio o tua 1850–1855.

Ci
Rhian Milcoy

Llundain

Darn peintio-drwy-rifau yw'r darn hwn. Yn hytrach na phrynu cit mewn siop, penderfynais y byddwn yn hoffi gwneud un a oedd ychydig yn fwy personol.

Mae ein ci, Moli, yn rhannu ei hamser rhwng ein tŷ ni a thŷ fy nhad-cu, ac mae'n deg dweud bod Moli a Tad-cu yn ffrindiau da. Pan ddes i i wybod bod modd archebu cit peintio-drwy-rifau wedi'i greu o ffotograff personol, roedd yn rhaid i mi archebu un o Moli.

Roedd yn brofiad hamddenol gweld y llun yn datblygu dros amser. Daeth y set gyda'r holl liwiau wedi'u cymysgu yn barod, a thri gwahanol frwsh paent. Gan fy mod i newydd ddechrau peintio, mae defnyddio set peintio-drwy-rifau wedi fy helpu fi i allu gweld y gwahanol gysgodion a chyferbyniadau yn y llun. Cymerodd y darn tua thri mis i'w orffen, ond doedd fawr o ddim arall i'w wneud ar y pryd! Cafodd Tad-cu y llun ar ei ben blwydd ym mis Ebrill, ac mae nawr ar wal ei gegin.

FFOTOGRAFFIAETH

Lluniau Natur
Beti Wyn Davies

Cangen Aberystwyth, Rhanbarth Ceredigion

Dwi wedi ennill nifer fawr o gystadlaethau – celf, gosod blodau a ffotograffiaeth – yn y Sioe Frenhinol gan ennill y tlws am y nifer uchaf o bwytiau yn yr adran gelf yn 2017. Bûm yn ffodus i ennill y wobr gyntaf yn Sioe Rithiol Merched y Wawr ar y testun 'Blodau', a chystadleuaeth NAFAS gyda'r llun hwn o lili'r dŵr.

Cynhaliwyd cystadleuaeth ffotograffiaeth yn Sioe Rithiol 2021 ar y thema 'Natur'. Derec Owen o Ynys Môn oedd y beirniad, ac roedd 82 o gystadleuwyr. Dyma gyfle i rannu'r lluniau buddugol.

Yn gyntaf roedd **Magi Roberts, Cangen Abersoch, Rhanbarth Dwyfor,** gyda llun arbennig o'r aderyn swil hwnnw, y crëyr glas. Golygfa hyfryd o waith **Nia Jones, Cangen Capel Garmon, Rhanbarth Aberconwy,** ddaeth yn ail. Yn drydydd roedd llun o aderyn arall, y barcud coch, gan **Elizabeth Collison, Cangen Melindwr, Rhanbarth Ceredigion**.

Crefftau Gwlad

Ers talwm, roedd yr hyn sy'n cael ei alw yn 'grefftau cefn gwlad' heddiw yn sgiliau hanfodol i fywyd bob dydd. Roedd arian yn brin bryd hynny, felly roedd y sgiliau creu yn cael eu trosglwyddo o un genhedlaeth i'r llall – y grefft o wneud rhaffau gwair neu wellt ar gyfer diogelu teisi, torri mawn a'i sychu er mwyn cynhesu tai, plygu gwrych neu berth (sietyn) neu godi wal yn derfyn rhwng dwy fferm, er enghraifft. Roedd yr arferiad o wneud ffyn yn hanfodol i bob bugail, ac roedd angen torri ffon pan ei gwelir, yn ôl yr hen air, o bren collen gan amlaf. Gwaith y gofaint a'r seiri oedd gwneud giatiau a throliau ar gyfer gwaith y wlad, ond bellach mae'r rheiny wedi addasu eu crefftau i wneud celfi ac addurniadau ar gyfer tai a chanolfannau cymunedol.

Gan fod y grefft o adeiladu waliau cerrig traddodiadol yn un sy'n prinhau, mae perygl i'r termau a'r eirfa a gysylltir â'r grefft gael eu hanghofio. Enghraifft o hyn yw'r enwau am wahanol gerrig o fewn y wal: y garreg sylfaen sydd ar waelod y wal, y garreg drwodd sy'n gorwedd ar draws y wal, y cerrig llenwad llai sy'n llenwi tyllau yng nghanol y wal, a'r penna' cŵn yn gerrig o bob siâp! Y garreg glo sy'n cloi'r cyfan at ei gilydd, a rhoir carreg bentan mewn adwy i osod giât. Dywedir bod rhai waliau wedi cael eu codi yng ngolau'r lleuad gan weithwyr ar ôl darfod eu gwaith bob dydd, er mwyn ennill chydig o geiniogau ychwanegol.

Marian Pyrs Owen, Cangen Capel Garmon, Rhanbarth Aberconwy

Doliau Ŷd
Aeres James

Cangen Trefdraeth, Rhanbarth Penfro

Cefais fy magu ar fferm fechan wrth odre Carningli o'r enw Dwryfelin. Roedd fy nhad, Thomas Rowe Lewis, yn tyfu llafur (ŷd) ac yn ei dorri gyda beinder – peiriant oedd yn cael ei ddefnyddio ar y fferm cyn y combein i fedi ŷd a'i rwymo yn ysgubau. Byddai merched yn cael ysgub ganddo er mwyn ei phlethu, a gofynnodd fy nhad imi a fyddai gen i ddiddordeb mewn dysgu'r grefft. Pymtheg oed oeddwn i, a pherswadiodd Mam, a oedd yn hoff iawn o grefftau, fi i roi cynnig arni. Ar ôl y wers gyntaf roeddwn yn mwynhau ma's draw, a dyma fi, hanner can mlynedd yn ddiweddarach, yn dal i fwynhau plethu.

Cefais wahoddiad i fynd i siarad am y grefft o wneud doliau ŷd, yn gyntaf i Gymdeithas Capel Caersalem ac yna i gangen Merched y Wawr Ffynnongroes. Yn dilyn hynny, rwyf wedi crwydro tipyn gyda'r bocs llafur ar hyd y blynyddoedd. Rwyf wedi bod yn ffodus iawn yn ystod y cyfnod diweddar fy mod wedi llwyddo i gael llafur gan ffermwyr lleol, gan nad oes dim yn cael ei dyfu ar y fferm hon mwyach. Rwy'n ddyledus iawn iddynt am eu caredigrwydd, gan mai nhw sydd wedi fy ngalluogi i alled dal at y grefft. Rwy'n ddyledus iawn hefyd i'm diweddar ŵr, Granville, oedd wastad y tu cefn imi yn dawel bach, yn sicrhau fy mod yn cystadlu yn y sioeau lleol a'r Sioe Frenhinol. Cefais y fraint a'r anrhydedd o arddangos yn y Sioe Frenhinol pan oedd Sir Benfro yn ei noddi yn 2019.

Yn draddodiadol, roedd doliau ŷd yn cael eu gwneud ar adeg y cynhaeaf allan o'r ysgub olaf, ond erbyn heddiw maent yn cael eu gwneud drwy'r flwyddyn. Mae dechreuad y ddol ŷd yn mynd yn ôl ganrifoedd, a dros y blynyddoedd maent wedi cael eu gwneud fel anrhegion. Rhoddir dol siâp pedol ar ddiwrnod priodas i ddod â lwc dda i'r pâr priod. Rhoddir hwy hefyd i ddymuno'n dda i bobol yn eu cartref newydd. Mae dod ag unrhyw beth sydd wedi cael ei wneud o'r llafur i mewn i'r tŷ i fod i ddod â lwc dda. Gallwch blethu llafur i greu dol ŷd o unrhyw siâp – mae'r ffan Gymreig yn draddodiadol i Gymru, a gwneud ratl (*rattle*) yn draddodiadol i Sir Benfro.

Mathau o lafur

Mae nifer o fathau o lafur – llafur yw'r enw am ŷd o bob math. Tri math rwy'n eu defnyddio at y grefft ydyw gwenith, ceirch a barlys.

Sut Mae Plethu

1. Dewis pum gwelltyn.

2. Gwneud canol allan o wellt a'i glymu gydag edau gryf.

3. Clymu'r pum gwelltyn i'w gilydd a dechrau plethu o'u cwmpas gyda darnau o wellt ychwanegol. Bydd yn rhaid ychwanegu gwellt wrth i chi fynd yn eich blaen, a bydd un gwelltyn yn mynd mewn i'r llall er mwyn cadw'r hyd.

4. Dyma'r gwelltyn yn troi o gwmpas.

5. Dyma un gwaith gorffenedig. Mae nifer fawr o siapiau y gallwch eu gwneud ar ôl dysgu troi a phlethu'r llafur.

Crefftau Gwlân
Eluned Davies-Scott

Cangen Tonysguboriau, Rhanbarth y De-ddwyrain

Ychydig cyn y Nadolig derbyniais barsel annisgwyl trwy'r post. Pan agorais y pecyn cefais syndod go iawn. Tri cengl o wlân oedd yno, ac roeddwn yn gwybod yn syth o ble roedden nhw wedi dod. Dyma'r hanes.

Ar ddechrau cyfnod pandemig Covid-19 roedd tair merch fy nai adref ar y fferm ym Mhowys. Gan nad oeddynt yn gallu mynd oddi yno unwaith y daeth y cyfyngiadau cyntaf i rym penderfynon nhw ddechrau datblygu eu sgiliau paratoi gwlân, gan ddefnyddio cnu defaid y fferm ar gyfer ei wneud yn edafedd. Yn fy mharsel oedd eu hymgais lwyddiannus gyntaf, ac es i ati i wau het. Doedd y nyddu ddim yn berffaith, felly roedd y gwaith o'i wau yn heriol! Serch hynny, bu i mi lwyddo, a dyma'r canlyniad. Os syllwch yn fanwl gallwch weld ôl y lliw glas sy'n cael ei ddefnyddio i farcio nodau ar ddefaid y fferm.

Er bod y merched yn dilyn gyrfaoedd proffesiynol - un yn athrawes, ei gefell yn ddylunydd yn y byd ffasiwn a'r 'chwaer fach' yn hyfforddwr personol - maent hefyd wedi mwynhau bod ar y fferm lle cawsant eu magu.

Aethant ati i sefydlu cwmni Woolandraddle gan gynnig eitemau ar werth ar-lein. Yn ddiweddar dyfarnwyd gwobr iddynt gan Gymdeithas Genedlaethol y Defaid.

Felly, er nad yw'r item yn enghraifft o gelf gain, mae'n cynrychioli'r dyfodol. Rwy'n falch iawn fod y tair yn cymryd diddordeb yn y fferm sydd wedi bod yn ein teulu ers pedair cenhedlaeth. Dyma beth maent yn ddweud ar eu tudalen Instagram: *'Mae ein sgiliau yn helaeth ac amrywiol, ond un peth sydd gennym yn gyffredin yw ein bod yn angerddol am ffermio, ein fferm deuluol a'i dyfodol.'* Gwych yntê?

Adeiladu Waliau Cerrig a Gwneud Ffyn Bugail
Marian Pyrs Owen

Cangen Capel Garmon, Rhanbarth Aberconwy

Dwi wedi bod yn codi waliau ers 15 mlynedd, a dysgais y grefft gan Alun, y gŵr.

Dwi'n gwneud ffyn ers deng mlynedd, a dysgais y grefft mewn clwb ffyn yng Nglynllifon. Dwi'n cynnal gweithdai i ddysgu eraill sut i wneud ffyn, ac yn gwerthu'r ffyn yn ogystal â chystadlu mewn sioeau bach ac yn y Sioe Fawr yn Llanelwedd.

Dwi'n teimlo bod trosglwyddo'r grefft i'r genhedlaeth nesaf yn hanfodol, ac fe wnaeth Siôn, fy mab, gychwyn yn 6 oed drwy ddod efo fi i Glwb Ffyn Gogledd Cymru. Gwnaeth Siôn ffon i Rhys Meirion ar gyfer ei daith gerdded er budd Ambiwlans Awyr Cymru.

Troelli/Turnio Pren
Randall Isaac

Rhydaman

'Sdim dwywaith fod dosbarthiadau nos wedi ysgogi fy niddordeb mewn gwaith llaw ar hyd y blynyddoedd. Ar ôl ymddeol o ddysgu ces gyfle i weithio ar y rhaglen deledu *Prynhawn Da*, a dyna lle dechreuodd fy niddordeb mewn gwaith llaw, trwy ymchwilio a chymryd rhan mewn eitem DIY. Dechreuais fynd i ddosbarth nos ble datblygodd fy nghreadigrwydd. Prynais beiriant troi coed a chwyddodd fy niddordeb yn sydyn iawn.

Roedd yr elfen o greu yn gryf yn fy nheulu – roedd Mam yn wniadwreg lwyddiannus ac aelodau eraill o'r teulu yn seiri maen a seiri coed, ac ambell berthynas arall yn gwau a chrosio.

Yn ddiweddar rwy wedi ymuno â dosbarth cerfio gan greu llwyau caru a ffyn cerdded ymysg pethau eraill. Mae fy niddordeb mewn gwaith coed yn profi nad ydych byth rhy hen i greu a chynllunio.

Mae'r ffawydden ddefnyddiais i greu'r cynnyrch hwn yn dangos natur ar ei orau. Rwy'n bles iawn â'r canlyniad.

Weldio Pedolau
Bethan Picton Davies

Cangen Ffynnongroes, Rhanbarth Penfro

Mae mudiad Merched y Wawr wastad yn fy ysgogi i ddysgu sgiliau newydd. Mi es i amdani yn 2019 i greu carw allan o bedolau ceffyl – am y tro cyntaf – ar gyfer cystadleuaeth yn y Ffair Aeaf. Gwelais y syniad ar y we a meddwl y gallen i roi cynnig arni, gyda bach o arweiniad gan y mab sy'n gallu weldio.

Y cam gyntaf oedd casglu pedolau gan Vernon, y ceffyl sy'n byw drws nesaf. Roedd angen eu socian mewn bwced o ddŵr i feddalu'r baw oedd arnyn nhw, wedyn eu glanhau gyda brwsh weiar. Wedyn, roddwn yn barod i osod y pedolau mewn siâp carw... a dysgu sut i'w weldio at ei gilydd! Mae'n dda fod amynedd gyda Harri wrth ddysgu ei fam! Mi fues i'n ymarfer gyntaf, cyn mynd ati'n ofalus. Y cam nesaf oedd peintio'r gôt gyntaf o baent metel arno, wedyn y paent lliw brown. Wnes i bom-pom o wlân coch ar gyfer y trwyn, a gosod Caradog y Carw ar wely o eira! Archebais ddisg enw i fynd o amgylch ei wddf, ac yn olaf, dwst aur hud. Wedyn, roedd yn barod i dynnu'r dyn mawr mewn coch a'i sled!

Macramé
Mary Lewis

Cangen Carno, Rhanbarth Maldwyn

Macramé yw'r grefft o greu tecstiliau gyda chlymau yn hytrach na thrwy wau neu grosio, a daeth i'r Gorllewin o'r gwledydd Arabaidd cyn yr 17eg ganrif. Daeth yn boblogaidd ym Mhrydain yn y saithdegau, a dysgais fy hun sut i wneud y grefft. Dechreuais trwy wneud cortyn parsel a chrogwr i ddal pot blodau, cyn mynd yn fy mlaen i wneud pethau mwy cymhleth fel crogwr wal, gorchudd potel a gorchudd lamp. Y clymau sy'n cael eu defnyddio amlaf yw:

Cwlwm Casglu	fel arfer i ddechrau a gorffen eitem.
Cwlwm hanner sgwâr	mae'r cwlwm hwn yn cael ei ddefnyddio i greu effaith dirdro (*twisted effect*)
Cwlwm sgwâr	Dyma'r cwlwm sy'n cael ei ddefnyddio fwyaf mewn macramé a'r mwyaf amlbwrpas.

Atgyweirio Stôl
Menna Thomas

Rhuthun

Pan alwais heibio i weld ffrind yn ddiweddar, sylwais ar hen stôl wen ar y buarth a oedd angen ei hatgyweirio. Doeddwn i erioed wedi atgyweirio stôl bren o'r blaen, ond meddyliais y byddai'n braf petawn yn gallu gwneud hynny erbyn ei phen blwydd, ac felly i mewn i'r car â hi.

Dechreuais drwy stripio'r stôl i lawr at y pren a'i pharatoi ar gyfer ei pheintio. Defnyddiais baent llwyd arni. Gwelais fideo ar y we oedd yn esbonio'n drylwyr sut i atgyweirio stôl, ac ar ôl ei gwylio droeon, archebais gortyn jiwt naturiol i wneud y gwaith. Cefais hyd i goes brwsh llawr a'i dorri yn ei hanner er mwyn cael dwy ffon i wahanu'r cortyn yn grwpiau o bum rhes, ac yna gwehyddu'r patrwm fel y dangoswyd. Defnyddiais wäell wau gan glymu'r cortyn iddi ar gyfer y broses o wehyddu. Yn fuan iawn deuthum yn gyfarwydd â'r gwaith, a'i chwblhau yn reit ddidrafferth. Cefais bleser mawr o'i hatgyweirio.

Stôl Llwynog
Elinor Talfan Delaney

Cangen Llundain, Rhanbarth Ceredigion

Stôl droed Mam-gu yw hon, a gafodd orchudd newydd yn nhridegau'r ganrif ddiwethaf gan fy mam. Roedd y gorchudd hwnnw wedi treulio'n enbyd, ac wedi misoedd o chwilio am syniad ar gyfer gorchudd newydd, deuthum ar draws llun o gadno yn cysgu, oedd yn gywir fel yr un sy'n cysgu'n gyson yn ein gardd yn Llundain. Mae wedi'i bwytho mewn pwythau croes ar Aida 12 pwynt, mewn fflos brodwaith cotwm.

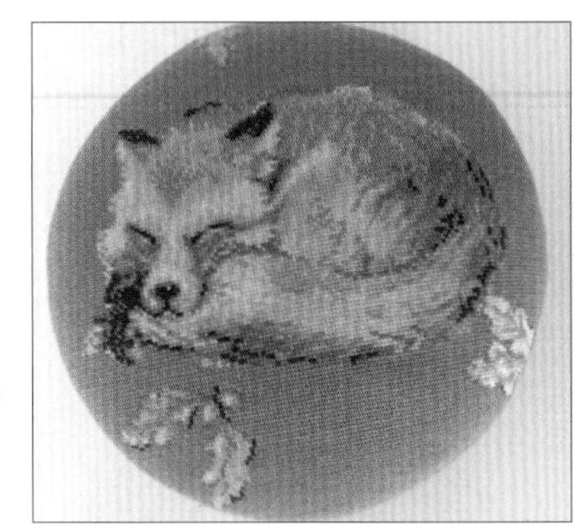

Stôl
Jayne Hughes

Cangen Bro Cennech, Rhanbarth Caerfyrddin

Dyma stôl a wnes i dros ddeng mlynedd ar hugain yn ôl ar un o'r amryw gyrsiau a gynigiwyd gan y Clybiau Ffermwyr Ifanc dan y cynllun Crefftau Gwlad. Rwy'n dal i'w defnyddio heddiw.

Er mwyn gwneud sedd fel hyn mae'n bosib prynu gwahanol gortynau mewn siop grefftau ar y stryd fawr. Gallwch ddefnyddio llinyn, rhaff gotwm, para cordyn neu edafedd.

Byddwch angen

2 ddarn o linyn tua 50 i 60 medr o hyd.
Gwennol wehyddu fflat er mwyn gwehyddu.
Bylchwr (*spacer*) pren sydd yr un hyd â'r gadair – mae'r bylchwr yn sicrhau tensiwn y lapio ac o gymorth wrth wehyddu.
Nodwydd wehyddu neu fachyn crosio.

1. Rhowch y cordyn yn sownd trwy ddefnyddio'r cwlwm angenrheidiol (*clove hitch*).
2. Gweithiwch trwy lapio'r llinyn o amgylch y ffrâm gan weithio o'r cefn i'r blaen gan ddefnyddio'r bylchwr (*spacer*) er mwyn sicrhau'r tensiwn cywir. Ceisiwch beidio â'i dynnu'n rhy dynn. Mae angen iddo fod yn ddigon tyn i ddal ei siâp ond dylech hefyd allu ei godi ychydig gyda'ch bysedd. Dyma yw sylfaen y gwehyddu a elwir yn lapio (*wrap*).
3. Yna, gweithiwch i'r cyfeiriad arall, sef o ochr i ochr y sedd. Dyma yw'r wefft (*weft*). Byddwch yn dilyn patrwm, e.e. gwehyddu dros grwpiau o bum dolen ac oddi tan bum dolen.

Mae'r grefft o wehyddu gan ddefnyddio amrywiaeth o gortynnau'n ddigon hawdd ac yn ffordd wych o uwchgylchu hen gadair.

Themâu Arbennig

BLODAU GOBAITH

Mae un prosiect wedi uno aelodau Cymru gyfan dros y misoedd diwethaf, sef ein cynllun **Blodau Gobaith** a sbardunwyd yn wreiddiol gan Lywodraeth Cymru a'r prosiect Gartref Gyda'n Gilydd. Y syniad gwreiddiol oedd creu blodau o unrhyw fath, gan ddefnyddio amrywiol grefftau a dod â nhw ynghyd i wneud Enfys o Obaith yn Eisteddfod Ceredigion 2020. Ond oherwydd y cyfyngiadau yn sgil y pandemig, ein breuddwyd bellach ydyw creu Enfys Fawr o Obaith yn Nhregaron yn Awst 2022, a byddwn wedyn yn creu sawl enfys fechan i'w cyflwyno i'r byrddau iechyd ar draws Cymru i ddiolch am eu gwaith anhygoel yn ystod cyfnod y Covid.

Mae cyfeillgarwch wedi bod yn rhan annatod o'r prosiect, gydag aelodau yn rhannu patrymau, syniadau a deunyddiau i greu amrywiaeth eang o flodau o liwiau'r enfys. Cawsom gymorth gan Gronfa Laura Ashley, a fydd yn ein galluogi ni i greu'r enfys fawr, a hefyd gan berchennog yr hen swyddfa bost yn nhref Aberystwyth lle mae gennym arddangosfa i hyrwyddo'r prosiect. Diolch i bawb sydd wedi creu pob petal a phob pwyth am eu creadigrwydd.

Blodau Gobaith
Menna Evans, Cangen yr Wyddgrug

Detholiad o Flodau Gobaith
Mair Hughes, Cangen Aberystwyth

Ychydig o flodau ar gyfer Blodau Gobaith allan o ddarnau o ddefnyddiau sbâr.
Meinir Roberts, Cangen Llwyndyrys

GWASANAETH IECHYD AC ELUSENNAU

Mae modd helpu a chefnogi elusen yn greadigol drwy greu eitemau sydd o ddefnydd uniongyrchol iddynt, fel y mae nifer o aelodau Merched y Wawr wedi'i wneud, neu drwy werthu neu rafflo eitemau crefft i godi arian. Boed yr eitemau'n rhai cymhleth neu syml, yr un yw'r nod – helpu achos da.

Gwelsom gymaint o hyn dros y blynyddoedd. Cofiwn am y sgwariau lliwgar sydd wedi eu gwau a'u crosio i greu blancedi, sy'n aml yn rhan o weithgaredd cymunedol cymdeithasol, a'r bonedi ar gyfer babanod bychain bach sy'n cael eu geni o flaen eu hamser. Heb anghofio'r mwffiau twidlan sy'n cael eu defnyddio i leddfu symptomau dementia, a'r rheiny wedi eu haddurno'n ddiogel ond yn gelfydd dros ben. Mae llawer o grwpiau cwiltio wedi cydweithio i greu cwiltiau yn wobrau raffl, a rhaid peidio ag anghofio am yr holl deganau a doliau a grëwyd fel gwobrau hefyd.

Yn ystod y pandemig diweddar bu llawer yn gwnïo a gwneud mygydau, capiau a gwisgoedd sgrwb ar gyfer staff yr ysbytai, yn ogystal â bagiau i roi'r dillad yn y golch yn syth ar ôl dod adre. Mae amryw wedi bod yn gwnïo clustogau siâp calon i helpu merched wedi iddynt gael llawdriniaeth cancr y fron, ynghyd â bagiau draenio sy'n hynod ddefnyddiol. A beth am y bagiau cryf (o ddillad gwely ac ati) i gario nwyddau o'r Banciau Bwyd? Mae patrymau ar gyfer yr eitemau hyn i'w cael ar y we erbyn hyn, ac mae sawl grŵp wedi dod at ei gilydd i gydweithio'n rhithiol i greu yn ystod y cyfnodau clo. Mae creu gwirfoddol fel hyn yn rhoi boddhad mawr i'r crëwr yn ogystal â helpu'r elusen.

Esyllt Jones, Cangen Gorseinon, Rhanbarth Gorllewin Morgannwg

Wyneb mewn mwgwd
Dawn Williams

Llanrug

Mae creu celf yn ofnadwy o bwysig a phersonol i mi – *escapism* ydi'r gair Saesneg i ddisgrifio'r teimlad. Pan fydda i'n methu cysgu ambell noson mi a' i at y bwrdd a mynd amdani i greu! Dŵdl yw hwn, wedi'i beintio efo coffi.

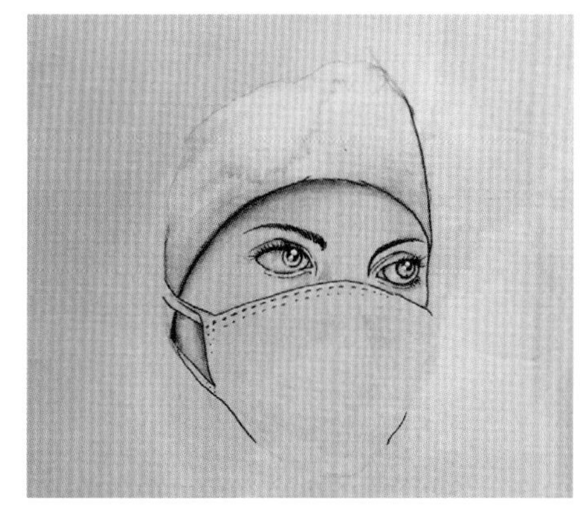

Tedi
Teresa Thomas

Llanllwni

Gan i gyngerdd Westlife yng Nghaerdydd gael ei ganslo oherwydd ymlediad y firws, prynais beiriant gwnïo gyda'r ad-daliad ges i am y tocynnau, ac ymuno â grŵp **Curo'r Corona'n Crefftio**. Bu i mi greu dros fil o fygydau wyneb. Yr ysbrydoliaeth ar gyfer creu'r tedi hwn oedd Lois, fy merch, a dderbyniodd swydd yn Uned Gofal Dwys Ysbyty Glangwili ym mis Ionawr 2021. Creais dedi o liwiau'r enfys iddi i'w hatgoffa o'r dywediad 'daw eto haul ar fryn', fu'n ysbrydoliaeth i staff y Gwasanaeth Iechyd dros gyfnod y Covid. Ar ôl i mi gwblhau'r cyntaf, es ati'n ddiwyd i greu un arall i Iolo, fy mab, rhag ofn iddo weld yn chwith. Y ddraig goch oedd yn taro deuddeg ar gyfer y tedi hwnnw, gan ein bod fel teulu yn cefnogi chwaraeon o bob math ar lefel genedlaethol.

Yn dilyn newyddion trist am ymadawiad tad cyd-weithwraig o ganlyniad i'r Covid, daeth cais i mi weithio tedis allan o ddillad y tad i gofio'n dyner amdano. Es ati braidd yn nerfus, gan gofio mai un cynnig oedd gen i i dorri'r ddau grys yn gywir. Daeth y cyfan i daro, gyda choler y crysau gwreiddiol a'r pocedi yn ychwanegiadau effeithiol ac yn atgof oes i'r teulu am dad annwyl iawn.

Adeg y Pasg, penderfynais weithio set o dedis i'w rafflo i godi arian i ddatblygu gardd Ward y Plant yn Ysbyty Glangwili. Codwyd £160 drwy'r ymgyrch, a chyflwynwyd talebau i ddatblygu'r 'Lle Hapus'. Mae defnyddio fy nghrefft i gefnogi eraill yn bleser pur.

Darlun i gefnogi'r Ambiwlans Awyr
Angharad Rees

Wrecsam

Cefais sialens gen ffrind i greu darlun i hyrwyddo'r 52 Park Run mae hi a'i ffrind yn eu rhedeg eleni i godi arian i Ambiwlans Awyr Cymru. Mi gymerodd ddiwrnod a hanner i'w wneud a'i orffen.

Gwau i Elusen
Ann Morris

Cangen Maenclochog, Rhanbarth Penfro

Dysgodd fy mam fi i wau pan oeddwn yn blentyn bach. Dwi ddim yn cofio fy oed, ond dwi'n cofio gwau dillad i Tedi: sgarffiau, siwmperi a throwsus. Dysgodd fi i grosio hefyd, pan oeddwn tua 14 mlwydd oed. Roedd Mam yn fedrus iawn yn gwau, gwnïo a chrosio, ac yn fodlon mentro ar unrhyw batrwm. Etifeddais innau'r agwedd honno ganddi – nid fy mod gyda'r mwyaf galluog na thaclus, cofiwch!

Mae 'na amser yn dod pan mae mwy na digon o eitemau gwaith llaw gyda rhywun yn y tŷ, felly rhaid oedd chwilio am rywle a fyddai'n falch o dderbyn eitemau wedi'u gwau neu eu crosio. Ar ôl chwilio ar y we, des i o hyd i Knit for Peace, elusen a sefydlwyd yn wreiddiol yn Rwanda i ddod â menywod llwythi Tutsi a Hutu at ei gilydd i wau ar gyfer plant amddifad. Nawr, mae'r elusen yn cydweithio ag elusennau eraill ac yn anfon eitemau i dros 200 o lefydd, yn cynnwys gwersylloedd ffoaduriaid, pobl ddigartref ac ati. Maent yn gweithio gyda charcharorion a menywod sydd wedi dioddef camdriniaeth yn y cartref, ac ar hyn o bryd mae dros 22,000 o bobl yn gwau a chrosio iddynt.

Hetiau i'r DPJ Foundation
Nia Mererid

Tremeirchion, Dyffryn Clwyd

Dwi wedi bod yn gwau hetiau i'r DPJ Foundation allan o becynnau o wlân oedd yn dod efo pom-poms yn arbennig i wneud hetiau (maent ar gael i'w prynu o siopau megis Aldi a The Range).

Hetiau i fabis
Mair Jones

Llanllyfni, Dyffryn Nantlle

Dwi wedi bod yn gwneud y capiau hyn ar gyfer babis bach newyddanedig, a rhai sydd yn yr Uned Gofal Arbennig yn yr ysbyty.

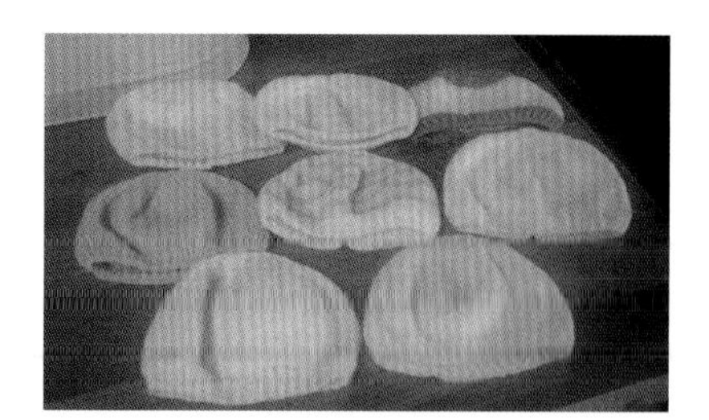

Siwmperi Babi
Nia Mererid

Tremeirchion, Dyffryn Clwyd

Set o siwmperi y gwnes i eu gwau ar gyfer Baby Basics yn Nyffryn Clwyd - elusen sy'n darparu offer a dillad babi ar gyfer teuluoedd bregus yn yr ardal.

Mwffiau Twidlan

Mae mwff twidlan yn eitem sydd wedi ei wau, ei grosio neu ei gwiltio, a sydd ag eitemau megis botymau, gleiniau a rhubanau lliwgar ynghlwm ynddo. Yn aml mae pobl sydd yn dioddef o dementia yn aflonydd, ac mae mwff yn cadw'r dwylo yn brysur ac yn actif. Maent yn helpu'r defnyddiwr drwy annog ymateb gweledol a synhwyraidd. Dyma'r rhai ddaeth i'r brig yng nghystadleuaeth Crefft Mwffiau Twidlan Gŵyl Haf 2021.

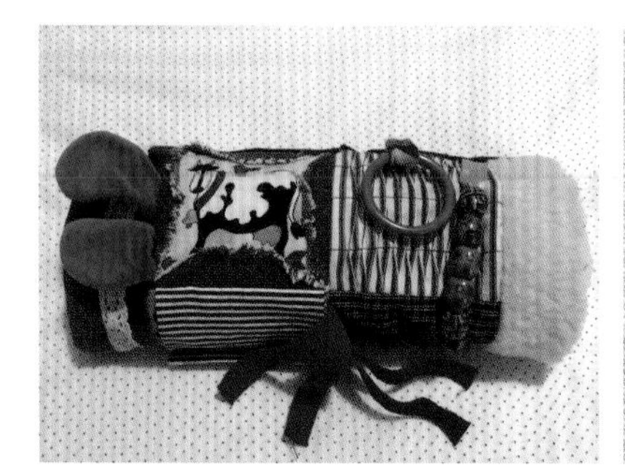

1af - Margaret Williams, Cangen Abernant

2il - Morwen Thomas, Cangen Llanbedr Pont Steffan

3ydd - Janet Catrin James, Cangen y Felin

CYFNOD Y COVID

Mae cyfnod Covid 19 wedi bod yn un rhyfedd i ni i gyd, a'r cyfnodau clo wedi gweddnewid bywydau pob un ohonom. Yn sicr, bydd effaith y pandemig yn hirdymor a bydd pawb â gwahanol atgofion am y cyfnod ac am y modd y bu iddynt addasu eu bywydau mewn ymateb iddo. Newidiodd y Coronafeirws ein ffordd o fyw, ac mae'n dal i wneud hynny.

Daeth yr enfys yn symbol cenedlaethol o obaith ac o ddiolch. Gwelwyd enfysau mewn ffenestri ar hyd a lled y wlad fel arwydd o werthfawrogiad i'r gweithwyr allweddol a fu'n gweithio i ddiogelu ein cymunedau. Cynigiodd Mererid Morgan o Orllewin Morgannwg y dylai Merched y Wawr gael enfys, ac rydym wedi gweld enghreifftiau di-rif o wahanol enfysau wedi eu crefftio mewn amrywiol ffyrdd.

Mewn ffordd ryfedd mae cadw pellter cymdeithasol wedi dod â phobl yn nes at ei gilydd, ac mae cefnogaeth cymunedol wedi ffynnu yng nghanol tristwch. Creodd Elisabeth Collison byntin yn y cyfnod clo i groesawu'r teulu adref ym mis Awst, ac aeth Rhian Williams, Cangen Bryncroes, Rhanbarth Dwyfor, ati gydag aelodau eraill y gangen i greu cerdyn a chenhinen bedr i anfon at eraill i godi eu calonnau ar Ddydd Gŵyl Dewi. Mae creu a bod yn greadigol wedi helpu lles ac iechyd meddwl llawer o bobl a'u helpu i ddygymod â threialon dyddiol bywyd. Daw eto haul ar fryn...

Iris Williams

Mygydau
Iris Williams

Cangen Pumsaint, Rhanbarth Caerfyrddin

Daeth mygydau yn eitemau eiconig, yn rhan o'n gwisg ddyddiol, ac fe wnaeth amryw o'r aelodau droi ati yn syth i'w creu. Yn eu plith roedd Buddug Ward o Degryn, a wnaeth dros 100 o fasgiau i deulu a ffrindiau cyn i'r gorchymyn i'w gwisgo ddod yn gyfraith, ac mae hi'n dal i'w creu. Creodd Eiry Ladd Lewis fasgiau i gartref henoed lleol, a gwnaeth Meinir Eynon dros 150 o orchuddion wyneb.

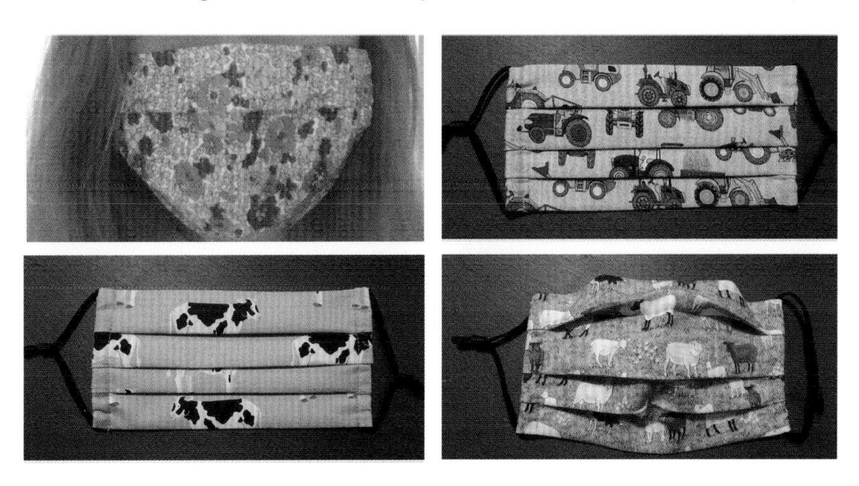

Mygydau
Ann P. Williams

Cangen Penmachno, Rhanbarth Aberconwy

Dwi wedi bod yn cefnogi siopau Hosbis Dewi Sant drwy wneud broetsys cennin Pedr a gwau i fabanod cynnar yn Ysbyty Glan Clwyd ac Ysbyty Gwynedd. Bûm yn gwnïo masgiau wyneb, bagiau cotwm, bandiau pen a chalonnau bach i elusen Awyr Las y GIG yn ystod y Clo diwethaf, a Blodau Gobaith i Ferched y Wawr.

Cwilt crosio
Anwen Hughes

Cangen Prestatyn, Rhanbarth Colwyn

Daliodd fy mab, sy'n byw yn Llundain, y feirws Covid-19, a chan na allwn ymweld ag ef penderfynais grosio cwilt iddo gael cofio'r ffaith ei fod wedi dod dros y salwch. Cefais fy ysbrydioli gan y lluniau gwyddonol o'r feirws ar y newyddion - ro'n i'n meddwl eu bod yn edrych yn debyg iawn i flodau Affricanaidd wedi eu crosio, felly ymlaen â fi i archebu'r glwân dros y we a dechrau crosio. 395 blodyn yn ddiweddarach roedd gen i blanced ddigon mawr i orchuddio gwely dwbwl.

Collage
Lynne Blanchfield

Cangen Aberystwyth, Rhanbarth Ceredigion

Yn dilyn marwolaeth fy mam yng nghyfraith, fe wnes i lun *collage* o hen gardiau sy'n fy atgoffa i ohoni. O ran ysbrydoliaeth, pobl sy'n dylanwadu arnaf fwyaf, ynghyd â chyrsiau a lluniau.

Blancedi
Iona Daniels

Blaenffos, Sir Benfro

Bu'r cyfnod clo yn amser gofidus i'n teulu ni gan fod un ferch yn disgwyl babi a'r ferch arall a'i gŵr yn gweithio i'r Gwasanaeth Iechyd mewn ysbytai prysur yn ne-ddwyrain Cymru.

Penderfynais fod yn rhaid i mi wneud rhywbeth i lanw'r amser felly es ati i ailgydio, ar ôl deugain mlynedd, mewn crosio. Gwneud blanced sgwariau mam-gu (*granny squares*) i'r babi newydd oedd y prosiect cyntaf. Sgwariau solet oedd y rhain fel na fyddai modd i fysedd bach fynd yn sownd yn y tyllau. Dewisais liwiau'r enfys wrth feddwl am holl waith caled gweithwyr y Gwasanaeth Iechyd, yn ogystal â phob gweithiwr allweddol arall.

Yna, dechreuais ar blanced arall. Bûm dipyn yn fwy mentrus y tro hwn, a dysgu gwneud pwyth crych (*ripple stitch*). Roeddwn i'n gallu ymlacio wrth wneud y pwyth hwn. Wedi gorffen hon mi wnes i ddwy flanced arall, un ohonynt ar thema'r ffilm *Frozen* gan ddefnyddio lliwiau glas, gwyrddlas a phorffor. Â'r gwlân oedd yn weddill, mi wnes i glustogau, sawl enfys ac addurniadau Nadolig. Yna, daeth yr awydd i wau unwaith eto a bu i mi gwblhau sawl siwmper, siacedi a hetiau i'r tri ŵyr a'r wyres.

Diolch am wyrthiau'r dechnoleg fodern er mwyn cadw mewn cysylltiad â'r teulu ar Facetime, a chwilio am syniadau a phatrymau ar gyfer crefftio.

Pwrs enfys
Ellen Lloyd Jones

Gaerwen, Môn

Defnyddiais ddefnydd cotwm caerog (*pillow ticking*) i wneud y pwrs llaw (*clutch*) yma, a defnyddio'r peiriant gwnïo i frodio rhwng y llinellau gan ddefnyddio edau o liwiau'r enfys.

Erbyn hyn mae'r pwrs wedi dod i olygu llawer iawn imi. Mi wnes i'r pwrs yn ystod y clo cyntaf, ond ers hynny, ym mis Chwefror eleni, collais fy mab oedd ond yn 34 oed i gymhlethdodau Covid.

Addurn Crog 'Ho Ho Ho'
Rhian Williams

Cangen Bryncroes, Rhanbarth Dwyfor

Cefais fy annog i grefftio yn yr ysgol, ac fe ddysgodd fy nhad fi i wau ac i ddefnyddio peiriant gwnïo. Dwi'n mwynhau crefftio yn fy stiwdio yn yr ardd.

Addurniadau
Celia Watkins

Cangen yr Wyddgrug, Rhanbarth Glyn Maelor

Defnyddiais leiniau i wneud addurniadau trawiadol ar gyfer y Nadolig.

Torch Pwdin Nadolig
Carys Jones

Gaerwen, Môn

Potsian ydi fy metha fi! Rhowch ffabrigau o 'mlaen i, ac edau a nodwydd yn fy llaw, ac mi a' i ati i greu gwaith crefft yn hapus!

Felly y bu hi yn ystod cyfnod y clo yn 2020. Yng nghanol yr ansicrwydd mawr oedd yn bodoli yn sgil dyfodiad yr hen feirws afiach a ddaeth yn rhan o'n bywydau ni i gyd, cefais i a miloedd tebyg i mi y cyfle a'r amser i fynd ati i greu mwy byth.

Ddiwedd yr haf dyma ddechrau meddwl am brosiectau ar gyfer y Nadolig, a gweithio ar gardiau wedi'u pwytho â llaw.

Fûm i erioed yn un am waith gwau, ond wrth arbrofi, dyma greu gorchudd i siocled blas oren ar ffurf pwdin Nadolig – anrhegion bach syml, personol i godi'r galon.

Y pwdin felly oedd thema Nadolig 2020! Dechreuais feddwl wedyn tybed a fyddai modd creu torch (*wreath*) ar ffurf pwdin. Mi fues i wrthi am oriau yn torri stribedi o ffabrig a'u clymu ar gylch weiren, ond i'r bin sbwriel â hi!

Dechreuais eto, a chreu pom-poms gan ddefnyddio edafedd gwau dwbl – rhai brown ar gyfer y pwdin a rhai gwyn ar gyfer yr eisin. Clymais y pom-poms yn sownd mewn cylch weiren, a gosod dail celyn wedi'u torri o ddeunydd ffelt gwyrdd a thri pom-pom llai o faint mewn coch ar gyfer yr aeron. Er mwyn hongian y dorch, plethais beth o'r edafedd i greu dolen, clymu'r ddolen i'r weiren a dyna'r dorch Pwdin Dolig wedi ei darfod!

Syml iawn yw'r technegau a ddefnyddiwyd i greu'r dorch. Cymerodd fore i gwblhau addurn effeithiol ar gyfer y Nadolig – addurn y byddai unrhyw un yn gallu ei wneud.

Sanau Nadolig
Gwenda James

Cangen Genau'r Glyn, Rhanbarth Ceredigion

Roeddwn wedi arfer gweld Mam a fy nwy nain yn crefftio ar hyd y blynyddoedd, ac roedd eu gwaith llaw nhw'n frith o gwmpas eu cartrefi. Roedd gan Nain Druid flwch bach glas oedd yn llawn cenglau (*skeins*) o edau sidan o bob lliw, a defnyddiai hwy i frodio blodau hyfryd ar lieiniau bwrdd – traddodiad oedd yn boblogaidd iawn ers talwm. Yn eu tro daeth y tun bach glas a'r llieiniau bwrdd i dŷ Mam, ac roedd hi'n hyfryd cael ein hatgoffa o grefftwaith Nain, a'i chariad atom, bob tro y byddai'r llieiniau'n cael eu defnyddio – fel arfer ar achlysuron arbennig fel y Nadolig, partïon teuluol neu benblwyddi. Roedd hi'n hyfryd cael byseddu'r edau a'r brodwaith, ond ar yr un pryd roedd treigl amser yn golygu fod y cof am y person hefyd yn mynd yn fwy brau.

Ymhen blynyddoedd sylwais fod nifer o'r cylchgronau poblogaidd i ferched wedi dechrau cynnwys gwaith llaw fel y brodwaith oedd ar lieiniau Nain, a sylwi ar y cynnydd yn y patrymau a'r *kits* croesbwyth oedd ar werth. Doedd gen i 'mo'r amynedd na'r gallu i greu llieiniau bwrdd fel rhai Nain, ond a fyddwn i'n gallu creu patrwm croesbwyth, tybed? Gyda'r cynnydd yn y ffasiwn o greu addurniadau traddodiadol ar gyfer y Nadolig dyma fynd ati i chwilio am rywbeth addas, a chefais hyd i batrwm y sanau Nadolig hyn mewn cylchgrawn croesbwyth poblogaidd. Gobeithio ymhen blynyddoedd y daw atgofion yn ôl ac y bydd aelodau ieuengaf y teulu yn cael yr un wefr o fyseddu fy ngwaith llaw i pan fyddent yn addurno'r goeden ar gyfer eu dathliadau Nadolig hwy.

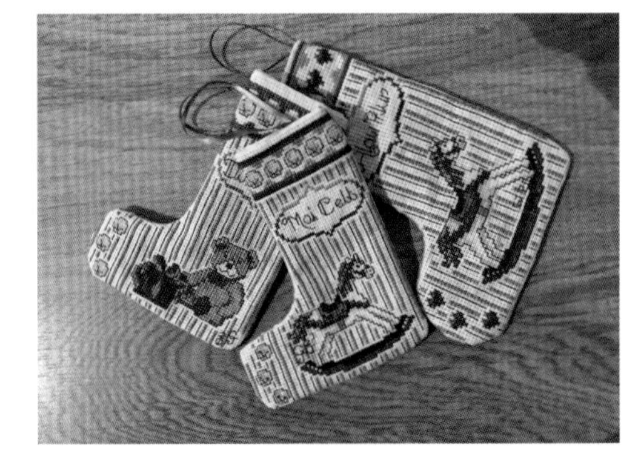

Baner Nadolig
Dilys Richards

Cangen Pen-y-bont ar Ogwr,
Rhanbarth y De-ddwyrain

Rwyf wedi cystadlu'n gyson yn y Ffair Aeaf ac wedi cael cryn lwyddiant. Mae llawer o'm gwaith yn cael ei arddangos yn y capel lleol.

GŴYL DDEWI

Baner Sir Gâr
Meinir Eynon

Cangen Gronw, Rhanbarth Caerfyrddin

Cynlluniwyd baner Sir Gâr ar gyfer gorymdaith Gŵyl Ddewi Caerfyrddin 2017. Fe'i seiliwyd ar eiriau Anthem Genedlaethol Gŵyl Ddewi, 'Cenwch y Clychau i Dewi', a gyfansoddwyd gan Gwenno Dafydd, yn ogystal ag agweddau o hanes chwedlau Sir Gaerfyrddin.

Cynllun Eirian Davies, Hendy-gwyn ar Daf
Y Gwaith Gwnïo Meinir Eynon, Cwm Miles
Ffrâm Denzil Davies, Hendy-gwyn ar Daf
Clychau Dylan Bowen, Castellnewydd Emlyn
Gwenyn Natalie Dennis

Y Symbolau

Cynrychiola'r cerrig ar y top a'r gwaelod gestyll a phontydd. Mae'r groes yn arwydd o faner Dewi Sant, yr aur yw Mwyngloddiau Aur Dolaucothi ac mae'r du yn arwydd o Lyfr Du Caerfyrddin. Mae'r trisgell yn y canol yn addurn Celtaidd a welir yn Llyfr Llandeilo a'r coryglau yn arwydd o'r grefft hynafol honno. Yng nghanol y rhwyd, mae'r cylch a ffurfir yn cynrychioli'r Tŷ Gwydr yn yr Ardd Fotaneg Genedlaethol. Cyfeiriad at Dderwen Myrddin yw'r dail, a gwelir y patrymau Celtaidd glas ar Groes Geltaidd Eiudion, croes o Lan-Sannan-Isaf Llanfynydd. Defnyddiwyd y lliw glas gan fod Dewi yn cael ei alw yn 'Dewi Ddyfrwr', ac mae hefyd yn dynodi'r llynnoedd lleol, megis Llyn y Fan Fach. Mae'r gwenyn yn rhan o chwedl Dewi Sant a'r clychau yn rhan amlwg o'r Anthem yn cynrychioli pum cantref: Cantref Gwarthaf, Cantref Emlyn, Cantref Mawr, Cantref Bychan a Chantref Eginog.

Y Dulliau

Gwaith appliqué yw'r cyfrwng sy'n cael ei ddefnyddio fwyaf, gan ddefnyddio pwyth igam ogam ar y peiriant gwnïo. Mae'r mes wedi eu ffeltio a'r dail wedi'u gwneud o sidan gyda weiren y tu mewn iddynt er mwyn eu gwneud yn dri dimensiwn. Mae'r edafedd ar yr ymyl wedi ei gowtsio i gysylltu'r cyfan. Rhaid oedd gwneud y faner yn dri darn oherwydd ei maint, a chwiltiwyd hi a gosod leinin ar y cefn i'w gorffen.

Ladi Gymreig
Ann Lloyd Thomas

Cangen Cylch Aeron, Rhanbarth Ceredigion

Dyma Ladi Gymreig y bues i'n gweithio arni dros y gaeaf diwetha. Rwy wedi dod yn hoff iawn ohoni – gobeithiaf ei phasio ymlaen i'm wyres fach maes o law (mae hi'n ei galw'n 'posh Welsh lady'), ond tydw i ddim eisiau ei cholli hi eto! Gwaith appliqué ydyw, yn defnyddio peiriant gan fwyaf, a pheth gwaith llaw. Bûm yn mynychu dosbarth gwnïo dan hyfforddiant Harriet Chapman, arlunydd lleol talentog sy'n creu lluniau hyfryd allan o ddefnyddiau a brodwaith.

Cennin Pedr
Ada Evans

Cangen Bro Ilar, Rhanbarth Ceredigion

Dechreuais wnïo pan oeddwn yn yr ysgol uwchradd yn Nhregaron, a chefais sefyll yr arholiad Lefel O gwnïo flwyddyn yn gynnar. Ar ôl gadael yr ysgol cefais gyfleoedd di-rif, fel aelod o Glwb Ffermwyr Ifanc Lledrod, i gystadlu yn y Rali flynyddol ac ati. Cofiaf ennill ar wneud cwilt o glytwaith mewn un rali, ac ar wnïo dilledyn a'i fodelu mewn rali arall. Prynais beiriant gwnïo Elna gyda fy mhae cyntaf, ac mae gen i o hyd.

Wnes i ddim cyffwrdd â'r peiriant ar ôl cael plant am dros ugain mlynedd, ond ar ôl clywed fy mod, saith mlynedd yn ôl, yn mynd i fod yn fam-gu dyma benderfynu mynd yn ôl i wnïo. Dechreuais drwy wneud sawl cwilt i blentyn, ac yna arbrofi gyda phethau gwahanol.

Erbyn hyn rwy'n mynychu clwb gwnïo yng Nghapel Seion, lle mae grŵp ohonom yn cwrdd i wneud beth bynnag a fynnem, ond braf yw rhannu syniadau a phatrymau.

Fy hoff dechneg yw 'Ffenestr Lliw' fel sydd yn y llun, ac rwyf wedi gwneud sawl clustog a murlun drwy ddefnyddio'r dechneg hon. Enillodd fy murlun Cennin Pedr yr ail wobr yng nghystadleuaeth Merched y Wawr yn yr Ŵyl Haf eleni (2021).

Calan Gaeaf
Alma Jones Davies

Cangen Gronw, Rhanbarth Caerfyrddin

Mi wnes i'r rhain i ddathlu Calan Gaeaf. Dysgais y grefft o wau yn nhŷ Nain flynyddoedd maith yn ôl, a llwyddais i ddarganfod y patrwm hwn ar y we.

CYMRU

Map Cymru gyda chalon yn nodi lleoliad arbennig
Llinos Owen Evans

Cangen y Foel a Llangadfan, Rhanbarth Maldwyn

Cefais gais i wneud llun i athrawes oedd yn gadael ysgol leol. Roedd hi wedi datgan y byddai ei chalon yn yr ysgol fach am byth, felly es ati i greu map o Gymru mewn calonnau, gan roi un galon fach goch i nodi lleoliad yr ysgol.

Caeau Llwyn Goronwy
Anwen Hughes

Cangen Carmel, Rhanbarth Aberconwy

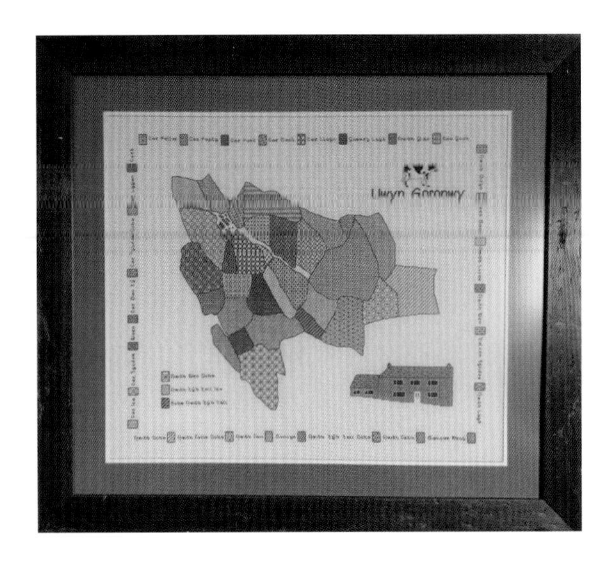

Dyma'r anrheg roedd Esyllt Hywel, Tai Duon, Padog, a Gareth Rhys Evans, Llwyn Goronwy, Carmel, eisiau gennyf ar achlysur eu priodas sef gwaith llaw o fap tir fferm odro Llwyn Goronwy, cartref Gareth.

Dyluniwyd y cynllun gwreiddiol gan yr amryddawn Joyce Jones, Cricieth, un dwi'n ddyledus iawn iddi ers blynyddoedd.

Fe geir enwau'r holl gaeau o amgylch y map ynghyd ag allwedd yn dangos pa bwythau a ddefnyddiwyd fel y gellir adnabod lle mae'r cae perthnasol. Mae'r darn yn cael ei arddangos yn barchus iawn ar eu haelwyd, Beudy Lygan ar fferm Llwyn Goronwy.

Clustog Cymraeg
Pat Tillman

Clwb Gwawr y Gwendraeth, Rhanbarth Caerfyrddin

Rwyf wedi neud cwpwl o glustogau Gŵyl Ddewi - un yn rhodd ar gyfer raffl a'r llall yn anrheg pen blwydd i ffrind.

Calon Lân
Eiddwen Thomas

Caerdydd

Fe wnes i fwynhau cwblhau'r darn pwyth croes yma yn fawr iawn dros y cyfnod clo. Gwelais lun o'r sampler ar ôl i ffrind ei bostio ar Facebook, ac fe wnes i syrthio mewn cariad ag ef gan ei fod yn darlunio Cymru a'r Gymraeg. Es ati ar unwaith i archebu cit i mi fy hun. Wedi derbyn y cit, meddyliais nad oedd y gair 'CYMRU' yn glir ar y patrwm, felly symudais y llythrennau a phenderfynu defnyddio edau goch ar eu cyfer er mwyn i'r gair fod yn fwy amlwg. Nid oedd baner Cymru ar y patrwm gwreiddiol chwaith, felly dyluniais un a'i gosod ym mhob cornel.

Roedd Mam yn grefftwraig frwd, a byddai'n rhoi cynnig ar bob math o grefftau a thechnegau. Er na allaf gofio iddi fy nysgu i wneud pwyth croes, rwy'n siŵr mai dyna sut y dechreuais ymddiddori ynddo. Rwyf wedi cwblhau llawer o brosiectau dros y blynyddoedd, ond dyma fy ffefryn.

"Roedd Mam yn un dda ei llaw, yn gwau, crosio, gwneud dillad, argaenwaith (*marquetry*) a gosod blodau. Ond yn anffodus roeddem ein dwy yn rhy debyg – yn rhy bengaled – felly wnes i ddim dysgu dim oddi wrthi hi. Dwi'n difaru erbyn hyn, wrth gwrs! Roeddwn yn medru gwau blancedi a sgarffiau i'm doliau ers pan oeddwn yn yr ysgol gynradd, ac roedd Mam-gu yn fy helpu er nad oedd hithau yn medru llawer, ond wnes i erioed ddilyn patrwm hyd nes yr oeddwn tua 16 oed. Aeth Mam ar ei gwyliau i Groeg efo'i ffrind, a chyn iddi fynd fe roddodd bellen o edafedd 3-ply, gweill a phatrwm côt babi i mi, a dweud wrtha i am ei gorffen cyn iddi ddod adref ymhen pythefnos! Fy nhad helpodd fi i wneud synnwyr o'r patrwm, a threuliasom sawl awr un noson yn ceisio deall 'yfwd sl1 psso', sef pwyth arbennig. Serch hynny, roedd y gôt yn barod cyn i Mam gyrraedd adref, ac yn ddigon da i'w rhoi yn anrheg i fabi newydd."

Meinir Roberts, Cangen Llwyndyrys

Patrymau ac Ysbrydoliaeth

PATRYMAU

Dros y blynyddoedd, cynhyrchwyd nifer o batrymau gwnïo ar gyfer Merched y Wawr, a fu'n boblogaidd iawn. Mae nifer o'r rhain wedi cael eu cadw gan ein haelodau, ac mae'n bleser cael eu rhannu â chi nawr er mwyn i sawl cenhedlaeth newydd gael mwynhau Woltyr yr Hwyaden, Gwawr y Ddoli Glwt a Tedi.

Mae'r patrymau yn rhy fawr i'w hargraffu yn y llyfr hwn, ond mae copïau i'w cael o'r ffynonellau canlynol:

Gwefan Merched y Wawr
Dilynwch y ddolen ar dudalen flaen y wefan.

Gwefan Gwasg Carreg Gwalch
Chwiliwch am y gyfrol Caru Crefftio yn y catalog, a dilyn y ddolen o'r dudalen honno.

Drwy'r post neu e-bost
Cysylltwch â Swyddfa Merched y Wawr i ofyn am gopïau, gan nodi pa batrwm / batrymau yr hoffech eu cael:
Merched y Wawr, Stryd yr Efail, Aberystwyth, Ceredigion SY23 1JH
Ffôn: 01970 611661
E-bost: swyddfa@merchedywawr.cymru

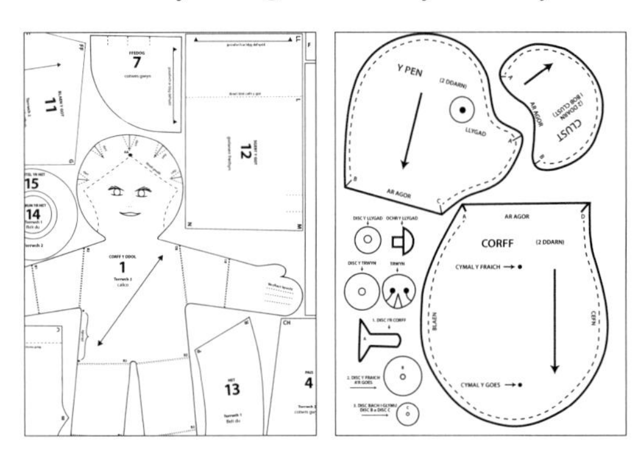

Bydd angen i chi argraffu tudalennau'r patrymau ar bapur A3, neu eu hargraffu ar bapur A4 a'u chwyddo ar lungopïwr i faint A3.

Gwawr y Ddoli Glwt gan Ann Williams

Llun: Ruth Davies, Cangen Bro Radur, Rhanbarth y De-ddwyrain

Woltyr yr Hwyaden gan Megan

Llun: Ruth Davies, Cangen Bro Radur, Rhanbarth y De-ddwyrain

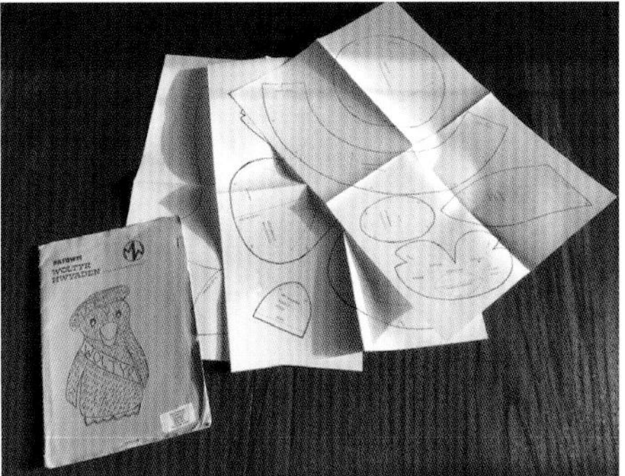

Tedi gan Mair

Llun: Ruth Davies, Cangen Bro Radur, Rhanbarth y De-ddwyrain

Menig Ffwrn gan Mair James

Llun: Ruth Davies, Cangen Bro Radur, Rhanbarth y De-ddwyrain

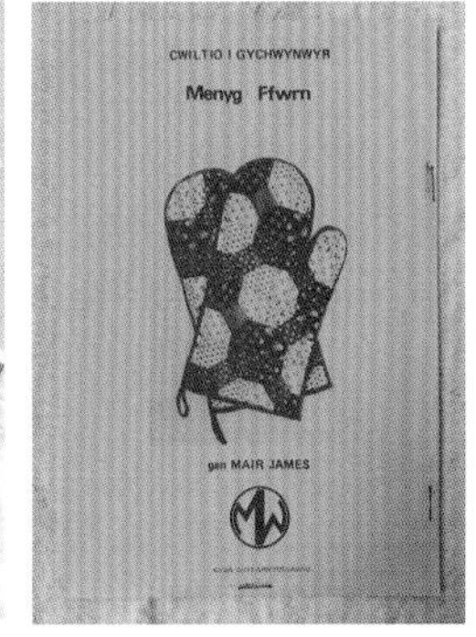

Crogwr Pot Blodau Macramé

Mary Lewis, Cangen Carno, Rhanbarth Maldwyn

Logo Croesbwyth Merched y Wawr

Joyce Jones, Cangen Cricieth, Rhanbarth Dwyfor

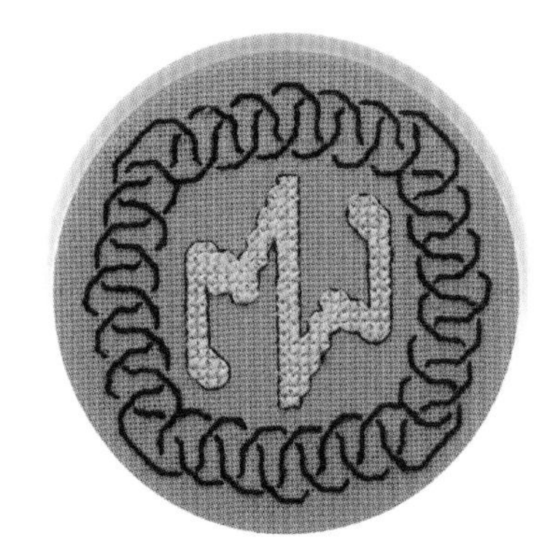

Cerdyn Papur
Glenys Morgan

Cangen Penrhyn-coch, Rhanbarth Ceredigion

Mae'r grefft o wneud cardiau allan o hen gylchgronau neu bapur lapio (Iris Folding) yn un hawdd iawn, a gallwch arbrofi â phapur a lliwiau gwahanol.

Byddwch angen

Cerdyn gyda thwll yn y canol (y math sydd i'w gael o siopau crefft)
Papur
Tâp gludiog
Siswrn

1. Dewiswch amrywiaeth o bapur – gall fod yn hen bapur newydd, tudalennau o gylchgrawn neu unrhyw bapur arall. Mae hen bapur lapio'n gweithio'n wych, neu unrhyw bapur â sglein arno na ellir ei ailgylchu.

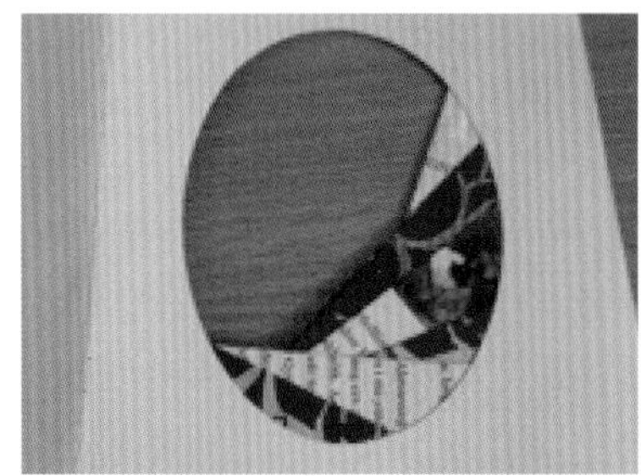

2. Torrwch y papur yn stribedi sydd yn hirach na'r twll yng nghanol y cerdyn, ac yna plygu pob stribed yn ei hanner ar ei hyd.

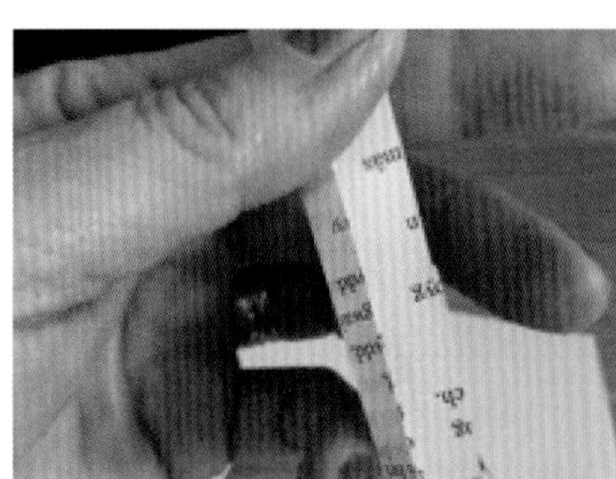

3. Gan weithio o gefn y cerdyn, gosodwch y stribedi ar draws y twll gan ddefnyddio'ch dychymyg i greu patrymau gwahanol. Gwnewch yn siŵr fod ochr y plygiad am allan. Ar ôl i chi orchuddio'r twll, gwiriwch nad oes bylchau / tyllau rhwng y darnau papur, yna sticiwch y cyfan i lawr ar bob ochr â thâp gludiog.

   Peidiwch â phoeni am y golwg ar y cefn - fydd o ddim i'w weld ar ôl i chi gau'r cerdyn. Os nad oes 'fflap' ar eich cerdyn i fynd dros gefn y twll, sticiwch ddarn o bapur neu gerdyn arall dros gefn y cyfan i'w guddio.

4. Trowch y cerdyn i'ch wynebu, ac os dymunwch, gallwch sticio darlun neu siapiau o gerdyn ar y blaen.

Draenog
Ann Howells

Cangen Tegryn, Rhanbarth Penfro

Mae'n hawdd gwneud draenog allan o hen lyfr gan ddilyn y lluniau isod - gwnewch yn siŵr nad ydych am ei ddarllen eto cyn dechrau!

Gwneud blodyn allan o boteli plastig
Catrin Hughes

Cangen y Foel a Llangadfan, Rhanbarth Maldwyn

Os ydych chi'n yfed pop neu ddŵr sy'n cael ei werthu mewn poteli plastig, rhowch gynnig ar wneud un o'r blodau deniadol hyn! Torrwch y blodau allan o waelod ac ochrau'r botel, a'u cynhesu â channwyll i wneud i'r plastig gyrlio.

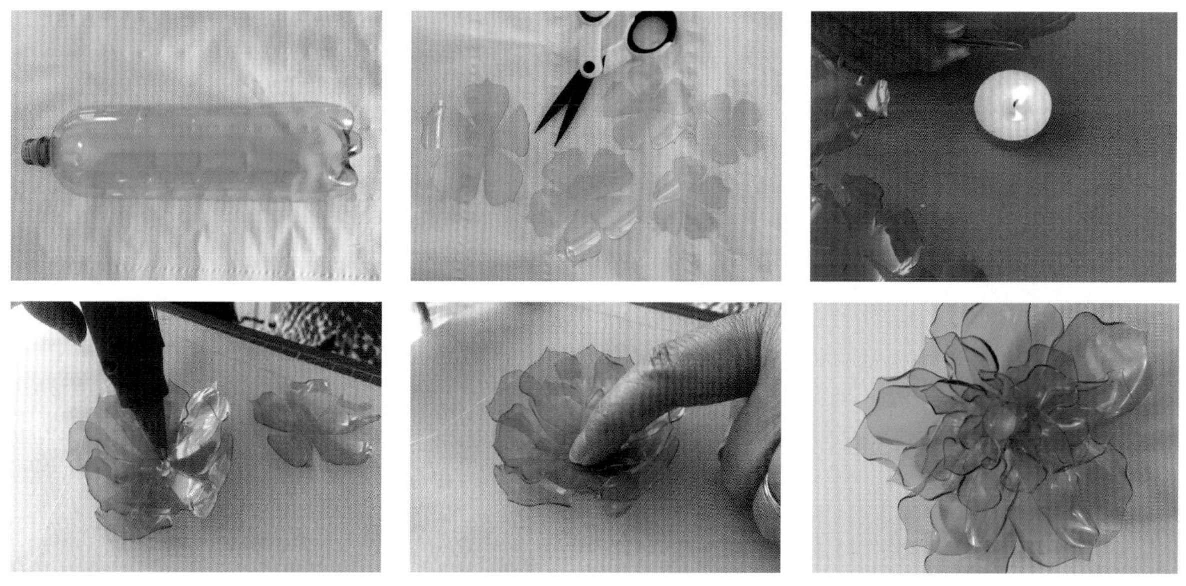

Logo Merched y Wawr
Joyce Jones

Cangen Cricieth, Rhanbarth Dwyfor

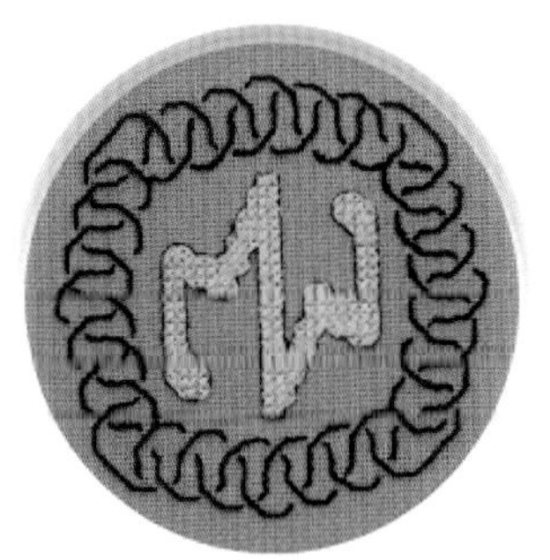

Maint gorffenedig y cynllun: 3 modfedd sgwâr.

Byddwch angen

Ffabrig gyda gwead gwastad, gyda 28 o edafau i'r fodfedd.

Edau gyfrodedd (*twisted thread*) DMC neu Anchor yn y lliwiau glas a melyn priodol.

I ddilyn y siart

Mae pob sgwâr ar y siart = 2 edau o'r ffabrig = 1 pwyth

Pwythau a ddefnyddir

Croesbwyth, ¾ croesbwyth, pwyth Holbein a pwyth Holbein wedi'i chwipio (*whipped Holbein stitch*)

I bwytho

- Defnyddiwch 2 edefyn o'r lliw glas i bwytho'r cwlwm Celtaidd mewn pwyth Holbein, a chan ei fod mewn script eithaf bras, fe fydd yn edrych yn well wedi i chi chwipio'r pwythau Holbein. Defnyddiwch 2 edefyn o'r lliw glas i wneud hyn.
- Mae angen 2 edefyn o'r lliw melyn i bwytho'r MW mewn croesbwyth, gan wneud amlinell ohono gydag 1 edefyn o'r lliw glas.

PATRWM

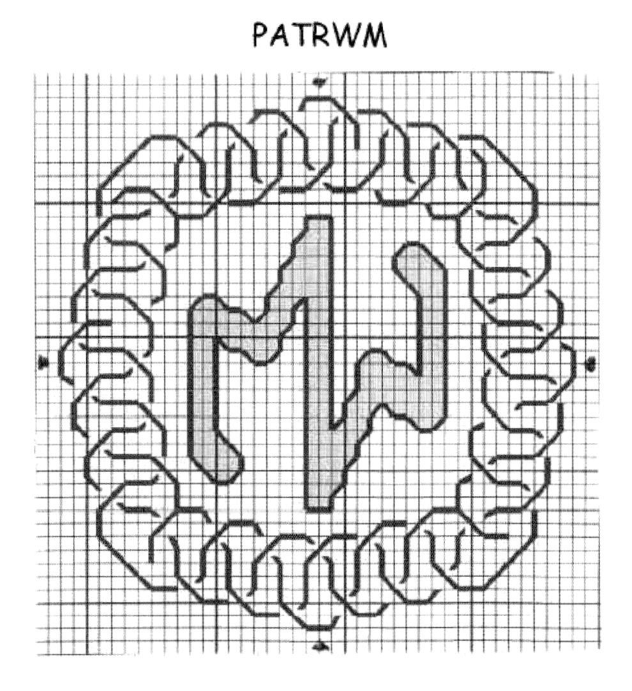

PWYTH HOLBEIN

WEDI EI CHWIPIO

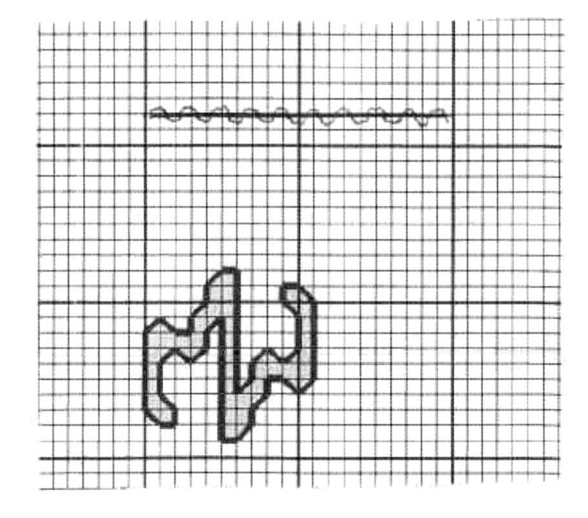

Mosaic Jenni Jones-Annetts

Cangen Cwm Rhymni, Rhanbarth y De-ddwyrain

Byddwn i'n awgrymu mynychu sesiwn flasu neu gwrs byr cyn mentro gwneud mosaic oni bai bod digon o brofiad gennych o grefftau sy'n defnyddio offer megis sbectol diogelwch a menig, i sicrhau eich bod yn aros yn ddiogel wrth dorri teils, gwydr ayyb.

I wneud mosaic bydd eisiau:

darn o bren neu ddefnydd addas megis teil neu lechen
glud cryf
pensil, papur, pìn ffelt (*marker pen*) a thâp peintiwr
growt addas ar gyfer tu mewn neu tu allan, a theclyn i wasgu'r growt (*grout float*)
tywel papur, tywel neu gadach
finegr gwyn a photel i chwistrellu dŵr
menig a sbectol diogelwch

- Os ydych am arbrofi ar eich pen eich hun, gallwch ddechrau gyda darnau o deils wedi'u torri yn barod a gwneud mat diod syml. Os ydych am gael delwedd arno, meddyliwch am siâp syml. Gellir ychwanegu'r ddelwedd gan ddefnyddio papur dargopïo (*tracing paper*) a phìn ffelt.
- Beth am ddefnyddio hen fat diod sgwâr neu grwn? Bydd arnoch angen teils bach neu emau gwydr, sy'n dda ar gyfer ymyl un crwn. Rhaid gadael ychydig o fwlch rhwng y teils wrth eu gosod – ond dim gormod, fel y bydd y llinellau growt yn edrych yn daclus yn y diwedd.
- Pan fyddwch yn hapus gyda'r patrwm, mae'n amser gludo pob darn yn ei le. Gwisgwch bâr o fenig wrth ddefnyddio glud, ac ar ôl gorffen, gadewch i'r glud galedu am 24 awr.
- Mae'n syniad rhoi tâp peintiwr dros yr ochrau cyn dechrau growtio fel na fydd y growt yn gadael staen. Bydd eisiau rhoi'r growt dros y top a gwasgu i lawr, i sicrhau bod y growt yn llenwi pob crac rhwng y darnau. (O.N. Peidiwch â chuddio unrhyw ddarnau.)
- Defnyddiwch finegr gwyn i gael gwared ar lwch y growt, gan ddefnyddio tywel neu gadach.
- Os ydych am fentro ar brosiect mwy anturus, bydd eisiau torri teils neu wydr. Byddwch angen menig, sbectol diogelwch a lliain i lapio'r teils ynddo cyn eu torri gyda morthwyl.
- Weithiau bydd eisiau teclyn torri teils (*tile nippers*) i siapio'r teils ar ôl eu torri.
- Ar gyfer rhywbeth fydd yn mynd tu allan, bydd eisiau defnyddio pren addas i wrthsefyll y tywydd (*marine ply*) a farnais *marine-grade polyurethane* (un heb sglein). Wrth ddewis teils addas ar gyfer y tu allan, rhaid sicrhau eu bod yn dal dŵr ac yn gallu gwrthsefyll bob tywydd, yn cynnwys rhew. Hefyd, os ydych chi am osod y teils ar y llawr, rhaid sicrhau na fydd neb yn llithro arnynt. Dylid gwneud ymchwil cyn mentro felly.
- Yn y mosaic hwn, defnyddiais rai pethau newydd a pheth deunydd wedi'i ailgylchu megis teils bach, cerrig, cregyn, gwydr crwn, darnau o hen emwaith a hyd yn oed *pot pourri*! Ar gyfer y morfarch defnyddiais berlog (*mother of pearl*).
- Mae'n hawdd gludo pethau fflat ond yn achos cregyn, rhaid llenwi'r cyfan â glud a sicrhau eu bod yn aros yn sownd.

Gosod Blodau
Nia Rowlands

Cangen Dinbych, Rhanbarth Glyn Maelor

Mae hwn yn drefniant syml y gellir ei wneud mewn pum munud - a byddwch yn ailgylchu tun hefyd!

1. Rhowch dâp neu weiar dros ben agored y tun metel glân
2. Gorchuddiwch y tun gyda phapur/defnydd neu ruban addurniadol.
3. Arllwyswch ddŵr i mewn i'r tun cyn torri coesau blodau o'r ardd a'u gosod ynddo.
4. Mae grwpiau o flodau o'r un math yn rhoi edrychiad mwy syml a chyfoes, ond gall blodau cymysg o'r ardd fod yr un mor ddel. Defnyddiwch beth bynnag sy'n mynd â'ch ffansi. Beth am wneud tri a'u gosod mewn rhes ar ganol y bwrdd i'w mwynhau?

Bandiau Gwallt Aeres James

Cangen Trefdraeth, Rhanbarth Penfro

Gallwch ddefnyddio unrhyw wlân o'ch dewis, a'i wneud yn amryliw neu un lliw.

1. Defnyddiwch fachyn crosio o unrhyw faint (mae'r un rwy'n ei ddefnyddio fel arfer rhwng 3.50 a 4.50) i greu nifer addas o bwythau i'r lled rydych yn ei ffafrio (tua 2-3 modfedd).
2. Ar gyfer pob rhes wedyn, crosiwch hanner trebl ym mhob pwyth cadwyn (*chain stitch*) i greu rhesi, gan grosio tri phwyth cadwyn ar ddechrau pob rhes cyn dechrau y rhes nesaf. Bydd hyn yn cadw'r gwaith yn syth wrth i chi weithio.
3. Daliwch i fynd nes y bydd yn ffitio'n gysurus o amgylch y pen, yna pwythwch ef at ei gilydd i ffurfio cylch.
4. Gallwch ei dynnu at ei gilydd yn y canol, ond does dim rhaid gwneud hyn.
5. Beth am ei addurno drwy ddefnyddio botymau, neu wneud brodwaith arno? Gallwch ychwanegu unrhyw addurn o'ch dewis.

Ffordd arall o'i addurno yw crosio blodyn:

Gwnewch bum cadwyn a dod â nhw at ei gilydd i wneud cylch. Gwnewch dair cadwyn, gwneud deg trebl i mewn i'r cylch a cau'r cylch i fyny. O'r tu ôl i'r gwaith gwnewch dair cadwyn a'u bachu i mewn i'r trydydd trebl, gan fynd o amgylch nes y bydd ganddoch bum twll. Yna, ewch o gwmpas eto, a llenwi'r tyllau gyda phwythau trebl (tua deg trebl i bob gwagle).

Os ydych am flodyn yn mwy o faint, rhaid gwneud mwy o bwythau i ddechrau, a llenwi'r canol gyda mwy o dreblau.

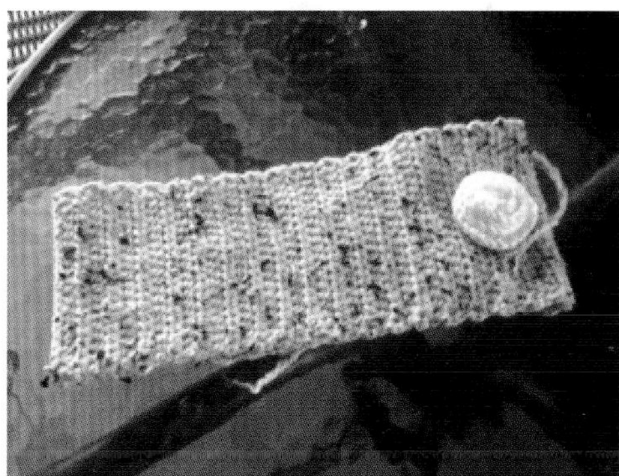

"Dwi'n cael ysbrydoliaeth o bob man! Weithiau byd natur, ffotograffiaeth, tirluniau, weithiau siapiau, adeiladwaith a themâu."

Esyllt Jones, Gorseinon

Torch o Galonnau
Llinos Roberts

Cangen Henllan, Rhanbarth Colwyn

Mae'r dorch hon yn edrych yn drawiadol iawn, ond yn rhyfeddol o hawdd i'w chreu.

Byddwch angen

Darn mawr o gardfwrdd
Ffelt neu ddefnydd plaen ar gyfer gorchuddio'r cefn
Darnau o ddefnydd ar gyfer y calonnau - gallwch ddefnyddio defnyddiau gwahanol o'r un lliwiau, fel yn y dorch hon, neu ddewis cymysgedd o liwiau gwahanol
Addurniadau amrywiol: gleiniau (*beads*), secwins, rhubanau, botymau ayyb. Defnyddiwch eich dychymyg!
Stwffin o'ch dewis: gallwch ddefnyddio stwffin pwrpasol, neu dorri hen ddefnydd yn ddarnau bach i lenwi'r calonnau.
Glud cryf

1. Torrwch gylch allan o gardfwrdd i'r maint yr hoffech i'ch torch fod – gallwch ddefnyddio plât mawr fel templed, neu ddrych crwn, efallai. Cofiwch dorri twll yn y canol!
2. Sticiwch ffelt neu ddefnydd o gwmpas y cardfwrdd, gan sicrhau fod y cefn yn daclus.
3. Torrwch galonnau allan o'ch darnau defnydd – gallwch amrywio'r meintiau (defnyddiwch y templadau hyn fel canllaw) a bydd angen torri dau ddarn o ddefnydd ar gyfer pob calon. Gan wneud yn siŵr fod y ddau ddarn defnydd yn wynebu at ei gilydd, gwnïwch y darnau at ei gilydd gyda llaw neu beiriant, gan adael twll bychan er mwyn rhoi'r stwffin i mewn.
4. Trowch y galon y ffordd gywir, ei stwffio a gwnïo'r twll yn dwt.
5. Addurnwch y galon.
6. Ar ôl i chi greu digon o galonnau i lenwi'r dorch, sticiwch y cyfan ar y cardfwrdd gan sicrhau eu bod yn ffitio'n dwt at ei gilydd.
7. Gwnïwch ddarn o ruban ar dop y dorch er mwyn ei hongian i fyny.

Torch o Galonnau

Templed

Defnyddiwch y templadau hyn.
Gallwch eu chwyddo neu eu
gwneud yn llai fel y mynnwch.

Cennin Pedr
Angharad Rhys

Cangen Dinbych, Rhanbarth Glyn Maelor

1.

I wneud un o'r rhain, mae angen pum sgwâr 4", un stribed o ddefnydd 1 ½ x 20" a chylch bychan o ffelt o liw tebyg tua 1" ar draws. Byddwch hefyd angen darn o ddefnydd 2" sgwâr.

2.

Gwnewch yn siŵr fod y sgwariau ag ochr gywir y defnydd am i lawr. Plygwch y sgwâr cyntaf yn ei hanner am i lawr fel bod y plygiad ar y top. Plygwch un o'r corneli uchaf i lawr i'r canol yn y gwaelod. Plygwch yr ail gornel i lawr i'r canol hefyd er mwyn creu triongl. Gwnewch yr un fath â'r sgwariau eraill.

3.

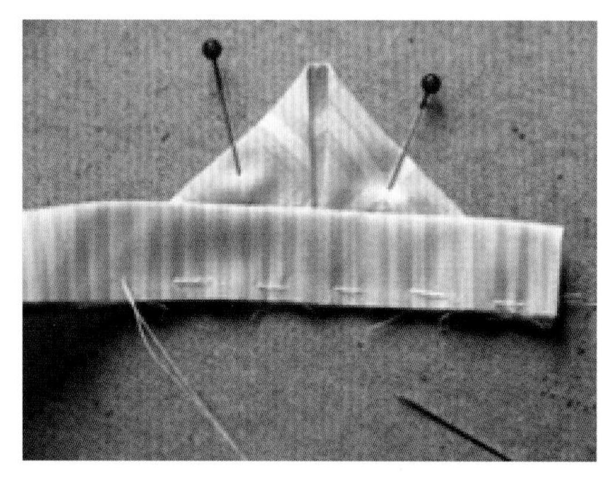

Ar ôl plygu'r stribed hir o ddefnydd yn ei hanner (yr ochrau anghywir at ei gilydd), piniwch y triongl cyntaf yn ei le fel yn y llun. Rhowch edau gref yn ddwbl mewn nodwydd a rhoi cwlwm yn y pen. Gwnewch bwythau hir yn agos i'r ochr trwy'r holl haenau.

Gwnewch yn union yr un fath gyda'r sgwariau eraill nes y bydd ganddoch res o drionglau ar y stribyn defnydd.

4.

Os ydi'r stribyn defnydd yn hirach na'r trionglau, torrwch y gweddill i ffwrdd. Tynnwch yr edau yn dynn nes bod y cyfan yn dod at ei gilydd. Pwythwch yr ochrau at ei gilydd ac yna clymwch gwlwm yn yr edau.

Gan gydio yn y petalau, tynnwch y stribed defnydd sydd wedi'i dynnu at ei gilydd i fyny, fel ei fod yn aros i fyny i greu canol y blodyn. Trowch y blodyn drosodd a gludo'r cylch ffelt ar y cefn gyda gwn glud.

5.

Pwythwch bwythau hir o amgylch y sgwâr 2", a thynnu'r edau nes bod y cyfan yn dod at ei gilydd. Clymwch yr edau. Rhowch ychydig o lud yng nghanol y blodyn a sticiwch y sgwaryn yn y canol, gydag ochr y pwythau am i lawr.

6.

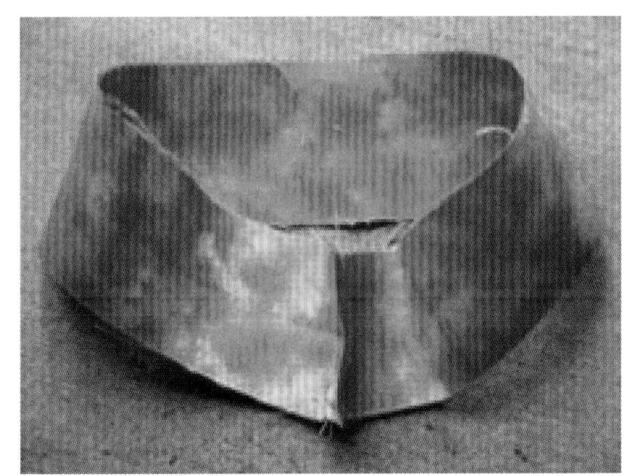

Os ydych chi am amrywio'r dyluniad fel isod, paratowch y blodyn yn yr un ffordd â'r un uchod, a gludo'r cylch ffelt ar gefn y blodyn. Ar gyfer y canol, cymerwch stribed 12" o ddefnydd o liw chydig yn wahanol a phwytho'r ddau ben pellaf at ei gilydd i greu cylch.

7.

Plygwch y defnydd yn ei hanner gyda'r ochr anghywir yn wynebu i mewn, a phwythwch yn agos i'r ochr yr holl ffordd o gwmpas. Tynnwch yr edau at ei gilydd yn dynn a'i chlymu. Gludwch y cyfan yng nghanol y blodyn, gydag ochr y cwlwm at i lawr.

Gorchuddio potiau plastig
Ruth Thomas

Cwmffrwd

Os ydych am rywbeth lliwgar i ddal manion, beth am wau neu grosio gorchudd ar gyfer potyn plastig fyddai fel arall yn mynd i'r bocs ailgylchu? Gallech hefyd ei ddefnyddio i roi melysion neu ddanteithion cartref yn anrheg.

Darlun o gerrig
Menna Thomas

Rhuthun

Os ydych yn mynd am dro i'r traeth, cadwch lygad allan am gerrig y gallwch eu defnyddio i wneud darluniau fel rhain. Byddai chwilio am gerrig yr un siâp â Mam a Dad yn gêm ddifyr i'r plantos!

Gludwch y cerrig ar gerdyn, a'u rhoi mewn ffrâm (mae fframiau bocs i'w cael mewn siopau megis The Range).

Broc môr
Caren Jones

Trefor, Caernarfon

Mae digon o froc môr i'w gael ar draethau Cymru - yn enwedig ar ôl storm! Defnyddiwch gardfwrdd, rhaff denau a glud i greu addurniadau fel y rhain.

Os ddewch chi ar draws darnau mwy o froc môr, rhowch gynnig ar greu sylfaen ar gyfer bachau dillad, neu fachau i ddal allweddi.

Fan
Pat Tillman

Clwb Gwawr y Gwendraeth, Rhanbarth Caerfyrddin

Cefais gymorth Hadleigh, fy ŵyr, i wneud y fan hon allan o focs oedd yn dal pacedi siocled mewn siop, i ddathlu menter fusnes newydd ei dad yn ystod y pandemig.

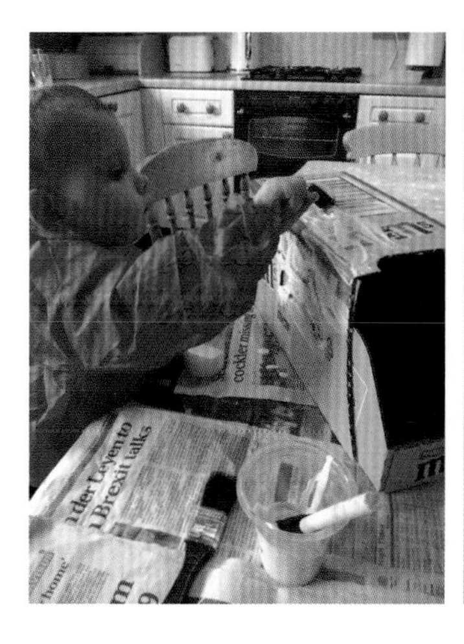

Meinir Wyn Roberts

Naomi Jones

Janet Phillips

Louise Owen

Elaine Jones

Helen Thomas

Nia Hamer

Menna Evans